Il Laboratorio di *Leonardo da Vinci's* Workshop

LEONARDO

Alla scoperta dei misteri
e delle invenzioni
del Genio universale

Il Laboratorio di *Leonardo*
da Vinci's Workshop

Discover the secrets
and inventions
of the universal Genius

a cura di | edited by
Massimiliano Lisa
Mario Taddei
Edoardo Zanon

L3
LEONARDO

Ideazione e filologia macchinale | Concept and mechanical philology
Mario Taddei, Edoardo Zanon

Direzione editoriale | Editorial co-ordination
Massimiliano Lisa

Testi | Text
Massimiliano Lisa, Mario Taddei, Edoardo Zanon

Grafica, impaginazione e ricostruzioni 3D | Graphic design, layout and 3D modelling
Stefano Armeni, Francesca Bertoletti, Antonio Buonarota, Lucio Carsi, Andrea De Michelis, Emanuele degli Antoni, Emma Leonello, Luigi Monaldi, Mario Taddei, Edoardo Zanon

Traduzione in inglese | English translation
Virginia Spencer

Revisione lingua inglese | Copy-editing
Maura Micheloni, William S. Freilich

Una pubblicazione | Publisher
Leonardo3 srl
Via Monte Napoleone, 9 - 20121 Milano - Italy
www.leonardo3.net

Seconda edizione | Second edition - Marzo 2010 | March 2010
Copyright © 2006-10 by Leonardo3 - Italy

ISBN 978-88-6048-002-6

Stampato da | Printed by
Petruzzi - Città di Castello (PG) - Italy

Sommario
Summary

Indice visuale delle stanze
Visual index of the rooms

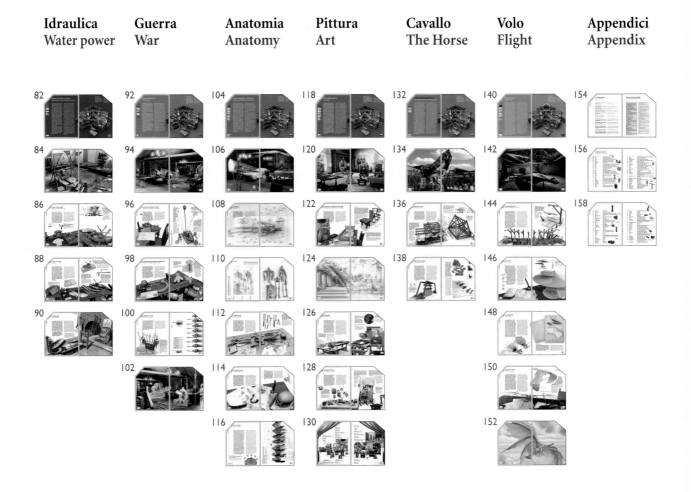

Introduzione
Introduction

Nel 1452 ad Anchiano, nei pressi del paese di Vinci, nasce Leonardo, il Genio universale. È vissuto a Vinci, Firenze, Milano, Venezia e Roma. È morto in Francia, ad Amboise, il 2 maggio del 1519, all'età di 67 anni. La sua genialità viene celebrata ancora oggi perché è riuscito a eccellere come nessun altro sia nell'attività artistica, sia in quella tecnica e scientifica. Grazie alle sue capacità è stato pittore, scultore e architetto, ma anche inventore, musicista, pensatore e autore di frammenti letterari.

In 1452 in Anchiano near the small town of Vinci, Leonardo, the universal Genius, was born. He lived in Vinci, Florence, Milan, Venice and Rome. He died in France, at Amboise, on 2 May 1519, at the age of 67. His genius is still celebrated today because he excelled like no one else in his artistic, technical, and scientific achievements. With his capacity of many skills he was not only an artist, sculptor, and architect, but also an inventor, musician, thinker and author of letters and notes.

Il mondo di Leonardo | Leonardo's world
Questa cartina geografica risale all'epoca di Leonardo. Nel foglio sotto al libro (*Codice Atlantico* 1007v) un disegno dell'Europa: che sia servito per pianificare i suoi spostamenti?

The geographic map is from Leonardo's era. Under the book is a sketch of Europe (*Codex Atlanticus* 1007v). Could he have used it to plan his journeys?

Piero del Massaio, 1460 (Biblioteca Medicea Laurenziana)

Il presunto *Autoritratto di Leonardo* è tra i suoi disegni più conosciuti (anche se non è affatto certo che si tratti realmente di Leonardo). Lo raffigura ultra-sessantenne, con una folta e lunga barba, quando ormai da tempo si trovava in Francia (dopo il 1515). Il disegno è intenso e di grande potenza espressiva.

This presumed *Self-Portrait of Leonardo* is one of his best-known drawings (even if it is not absolutely certain that it is him). It shows him as over sixty, with a long, thick beard, at a period when he had already been living in France for a considerable time (it was drawn after 1515). The drawing is intense and has a very strong expression.

La sanguigna | Sanguine

Il disegno è realizzato con la tecnica della sanguigna, usatissima durante il Rinascimento. La sanguigna è ricavata da un minerale, e ha l'aspetto di un gessetto colorato di un intenso rosso ocra.

The drawing is made in sanguine, a technique very popular during the Renaissance. Sanguine is made from a mineral and looks like deep ochre or red-colored chalk.

9

>>

È stato un uomo appassionato e straordinariamente curioso che amava e studiava ogni cosa. La sua più grande maestra è stata la natura, che ha osservato cercando di scoprirne le leggi e i meccanismi. Leonardo aveva un'eloquenza così piacevole e profonda che conquistava e sconcertava, incutendo rispetto e ammirazione. Per questo lavorò alle corti di Lorenzo il Magnifico (signore di Firenze), Ludovico il Moro (duca di Milano), che si innamorò dei suoi ragionamenti, e Francesco I (re di Francia), che lo definì "grandissimo filosofo".

He was a man who was extremely enthusiastic and enormously inquisitive about everything, with an intense love of life. His greatest teacher was the natural world, which he observed in order to discover its laws and underlying mechanisms. Leonardo was a pleasant and eloquent conversationalist. His meaningful discussions made lasting impressions earning him admiration and respect by all he met. As a result, he was employed at the courts of Lorenzo the Magnificent (ruler of Florence), Ludovico the Moor (Duke of Milan), who was captivated by his ideas, and François I (King of

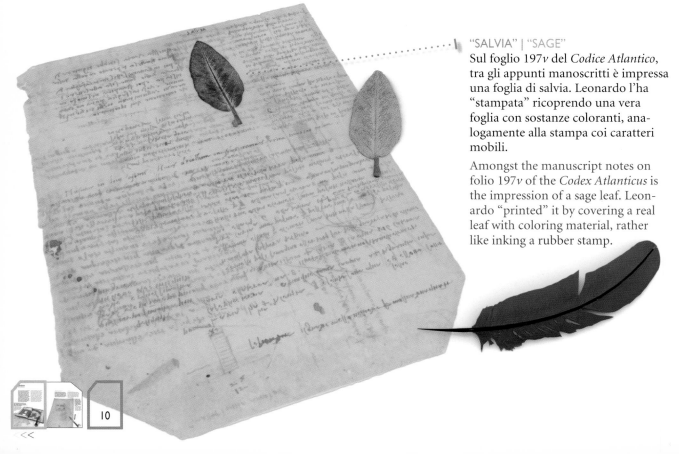

"SALVIA" | "SAGE"

Sul foglio 197*v* del *Codice Atlantico*, tra gli appunti manoscritti è impressa una foglia di salvia. Leonardo l'ha "stampata" ricoprendo una vera foglia con sostanze coloranti, analogamente alla stampa coi caratteri mobili.

Amongst the manuscript notes on folio 197*v* of the *Codex Atlanticus* is the impression of a sage leaf. Leonardo "printed" it by covering a real leaf with coloring material, rather like inking a rubber stamp.

Nel 1482, quando giunge a Milano, ha trent'anni. Il corpo è specchio dell'anima: ha i capelli inanellati che gli scendono sino al petto insieme a una lunga barba ed è di bell'aspetto. Col suo atteggiamento è in grado di rasserenare ogni animo. Ai suoi modi gentili si accompagna però una grande forza fisica, dal momento che si dice sia in grado di piegare con le sole mani un ferro di cavallo. Il suo più grande amore è quello per il sapere, la ricerca e la sperimentazione. Forse è per questo che non si sposa: il tempo passa veloce e lui è sempre impegnatissimo. Diceva che se un uomo era solo "era tutto suo". Non lascia nessuna opera scritta completa, ma un'enorme quantità di

France), who called him "a great philosopher".

He was 30 when he arrived in Milan in 1482. His appearance mirrored his spirit: he was good-looking, with long curly hair right down to his chest and a long beard. His good natured manner created a serenity in everyone. His gentleness was also matched by his strength and he was known to be able to bend a horseshoe with his bare hands. His greatest loves were knowledge, research and experimentation. He never married and his work occupied almost his every moment. Time flies by quickly and he had said that if a man were alone "he had time all for himself".

I manoscritti | The manuscripts

Leonardo era solito prendere appunti su quaderni di vario formato che teneva con sé. Su questi manoscritti possiamo trovare oggi appunti riguardanti svariati argomenti: progetti di macchine, palazzi, schizzi, disegni e pensieri. Quello qui riprodotto fedelmente è il *Manoscritto I*, custodito presso la biblioteca dell'Istituto di Francia.

Leonardo used to jot things down in notebooks of various sizes and shapes that he carried around with him. In the manuscripts we find notes on all kinds of subject: plans for machines, buildings, sketches, drawings and ideas. This is an accurate reproduction of *Manuscript I*, which is kept in the library of the Institut de France.

note e appunti sparsi su migliaia di fogli e quaderni. Ha scritto:

"Chi pensa poco, sbaglia molto".

Propugna l'importanza dello studio della teoria a cui si deve fare seguire la sperimentazione pratica. La sperimentazione senza solide basi teoriche è inutile, ma lo sono altrettanto le scienze che si limitano alle parole e non sfociano in applicazioni pratiche. Secondo Leonardo il sommo bene è la sapienza. Non diventano famosi gli uomini che sono stati molto ricchi, ma coloro che fanno scoperte scientifiche. La scienza è figlia di chi la crea, il denaro è solo un figliastro. L'inerzia non giova all'ingegno, che va esercitato. Inoltre, bisogna studiare solo con passione dal momento che lo studio senza voglia non viene ricordato e non dà alcun frutto.
Leonardo è anche un intrattenitore. Non solo suona mirabilmente una

He did not leave any completed manuscript only an enormous quantity of notes and ideas on thousands of folded papers and notebooks. He wrote:

"Who thinks less, errs more".

He stressed the importance of studying theory before doing practical experiments. He said experiments that weren't based on solid theories were useless, as well as science without practical application. According to Leonardo, the greatest good of all is knowledge. It's not rich people who become famous, but those who make scientific discoveries. Science is the child of its inventor; money is only a stepchild. Intelligence is not achieved by inertia, but by mental activity. Passion is an essential quality in studying, it helps reinforce the memory and to achieve success.

Codice Atlantico | Codex Atlanticus
Spesso, come le pagine oggi raccolte nel *Codice Atlantico*, Leonardo disegna su fogli sfusi o piegati che conserva senza rilegatura.

Like the folios now collected into the *Codex Atlanticus*, Leonardo often drew on loose sheets of paper or a few pages folded together without being fastened.

lira da lui stesso costruita, ma crea interi spettacoli. Ha scritto anche favole, barzellette e indovinelli. Quella che segue è una delle sue favole più celebri.

Leonardo was also an entertainer and not only played wonderfully on a lyre he built himself, but he created entire shows. He also wrote fables, allegories and jokes. Here is one of his best-known fables.

Il ragno e l'uva | The spider and the grapes

"Il ragno pensò di aver trovato il luogo più adatto al suo inganno: un grappolo d'uva dolcissimo che era molto visitato sia dalle api, sia dalle mosche. Calatosi lungo il suo filo sottile, stabilì tra l'uva la sua nuova casa. Ogni giorno, la ragnatela che aveva costruito tra gli acini d'uva, gli consentiva di assaltare, come un ladrone, i poveri insetti che cercavano cibo. Ma venne il tempo della vendemmia. E il contadino colse anche quel grappolo che insieme agli altri venne pigiato per fare il vino. Così l'uva imprigionò e ingannò sia il ragno ingannatore, sia le mosche ingannate".

"The spider thought it had found the best place for its trap: a bunch of very sweet grapes visited by lots of bees and flies. Dropping down on its fine thread it set up its new home among the grapes. Every day the web it had built among the grapes enabled it to rush out like a thief and attack the poor insects that were looking for food. But soon it was time for the grape harvest, and the farmer picked the spider's bunch of grapes and pressed it to make wine along with all the others. So the grapes trapped the spider just as the spider trapped the flies".

La mappa del laboratorio
Plan of the workshop

Il laboratorio ideale di Leonardo presentato in questo libro è composto di molte stanze, nelle quali potrai scoprire quali sono stati i suoi progetti principali. Nel corso della sua vita è stato uno straordinario studioso in molti campi, dall'arte alla scienza. E in tutto ciò di cui si è occupato è riuscito a scoprire qualcosa di nuovo o a far progredire studi che lo avevano preceduto o ancora è stato l'iniziatore di nuovi metodi. Fino ad arrivare a scoperte e teorie esatte anche per la scienza moderna.

Il laboratorio che ti appresti a visitare è un'elaborazione fantastica delle stanze nelle quali ha disegnato e dato alla luce le sue più celebri invenzioni e opere d'arte.

In realtà, i luoghi in cui Leonardo ha lavorato sono molti e sono stati riuniti solo idealmente in questo edificio, le cui stanze sono sparse nel tempo e nello spazio durante tutta la sua incredibile esistenza, dal 1452 al 1519. Perciò questo laboratorio non si trova in nessuna località in particolare, ma segue Leonardo ovunque ha vissuto.

Ricorda comunque che la stanza più frequentata da Leonardo non è presente in questo libro, perché è quella della "natura a cielo aperto", ambiente nel quale era solito trascorrere gran parte del suo tempo, meditando e cercando di comprendere il funzionamento di ogni cosa che annotava in quelli che oggi chiamiamo *Codici*, ma che al tempo erano solo quaderni o fogli di appunti.

In this book, Leonardo's ideal workshop has many rooms where you can learn about his main projects. During his life he carried out extraordinary research of all kinds, from art to science. In everything he did he was able to discover something new or to improve on earlier studies or introduce new methods. He made discoveries and exact theories that are applicable even today.

The workshop you are about to visit is an imaginary replica of the rooms where he designed and created his most famous inventions and works of art.

In fact, Leonardo worked in many different places and the real rooms he used during the course of his amazing existence, from 1452 to 1519, were separated by time and place. The way they are grouped in this building is only imaginary and this workshop did not exist anywhere in particular but "follows" Leonardo wherever he lived.

But don't forget that you won't find the "room" Leonardo used most in this book. His favorite place was outside in "nature and the open air", where he passed his time, thinking and trying to understand how everything worked and jotting it down in what we now call the *Codices*. Originally these were just notebooks or sheets of paper.

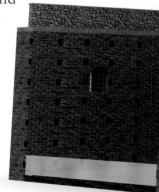

Meccanica
Engineering

Guerra
War

Musica
Music

Cavallo
The Horse

Volo
Flight

Architettura
Architecture

Pittura
Art

Idraulica
Water power

Geometria
Geometry

Anatomia
Anatomy

15

>>

Le macchine semplici
Simple machines

Nella vastità dell'opera di Leonardo, gli studi rivolti alla meccanica rivestono un ruolo fondamentale. Leonardo non era solo un artista impareggiabile. Il fascino dei suoi dipinti è pari a quello dei suoi disegni che riguardano progetti di macchine di ogni tipo. Alcune sono così complicate e misteriose che ancora oggi non sono state interpretate correttamente. Potresti essere proprio tu a svelare nuovi misteri...

Per quanto complicata possa essere una macchina di Leonardo, è possibile analizzarla scomponendola in gruppi di meccanismi minori, un po' come avviene per i diversi organi del corpo umano. Questi gruppi di meccanismi, non semplificabili ulteriormente, vengono definiti come *macchine semplici*. Nelle prossime pagine ti spiegheremo le principali, ovvero la puleggia, il piano inclinato, la leva, l'ingranaggio, i denti d'arresto, il cuneo, l'asse, la vite, la catena, la biella, la molla e le camme.

Nel foglio 82*r* del *Codice Madrid* Leonardo stesso rivela l'intenzione di scrivere un libro sugli elementi macchinali, anticipando le teorie e le classificazione di scienziati e ingegneri dei secoli dopo di lui. La scomposizione delle macchine in meccanismi indipendenti è infatti un'assoluta innovazione. Tutte le macchine e i progetti presentati in questo libro possono essere scomposti in *macchine semplici*.

Leonardo's studies on engineering play an essential part throughout the entire vast range of his work. Leonardo was not only an artist without equal, the appeal of his paintings is equaled by the fascinating nature of his designs for machines of all kinds. Some are so complicated and mysterious that they have not yet been understood correctly, even today. You could be the very person who unravels new mysteries... No matter how complicated one of Leonardo's machines may be, it can be examined by breaking it down into groups of smaller parts that work together, so it's a bit like looking at different parts of our own bodies. These working groups (or mechanisms) which cannot be broken down into any smaller working parts, are known as *simple machines*. On the following pages we will tell you about the most important ones: the pulley, the inclined plane, the lever, the gear wheel, the ratchet, the wedge, the axle, the screw, the chain, the crank and connecting rod, the spring and the cam. On folio 82*r* of the *Codex Madrid* Leonardo himself expressed his intention to write a book about the elements of machinery: he had already formed theories and identified categories not discovered by other scientists and engineers until hundreds of years later. The idea of looking at machines as a collection of independent parts had never been heard of before. All the machines and projects in this book can be taken apart into *simple machines*.

Il Laboratorio di Leonardo
Da Vinci's Workshop

Prima di entrare nel laboratorio fantastico, scoprirai le macchine semplici. Si tratta dei meccanismi che compongono vere macchine di Leonardo, di cui comprenderai così i segreti.

Before you go into this amazing workshop, let's take a look at the simple machines. These are the mechanisms that make up the more complicated machines and will help you to understand their secrets.

Dodici macchine semplici
Twelve simple machines

In questo capitolo scopriremo dodici *macchine semplici* scelte tra più di venti meccanismi che lo stesso Leonardo aveva individuato. Durante il tuo viaggio nelle stanze del laboratorio incontrerai molte macchine realmente progettate e potrai capirle meglio se prima cercherai di scomporle mentalmente trovando le macchine semplici.

In this chapter we will look at twelve *simple machines* chosen from more than twenty mechanisms that Leonardo categorized. As you explore the rooms in the workshop you will find many machines Leonardo actually designed. Try to find the simple machines.

Sei già in grado di riconoscerle?
1. carrucola
○. piano inclinato
○. leva
○. ingranaggio
○. dente d'arresto
○. cuneo
○. asse
○. vite
○. biella
○. catena
○. molla
○. camme

Can you identify them?
1. pulley
○. inclined plane
○. lever
○. gear wheel
○. ratchet
○. wedge
○. axle
○. screw
○. crank
○. chain
○. spring
○. cam

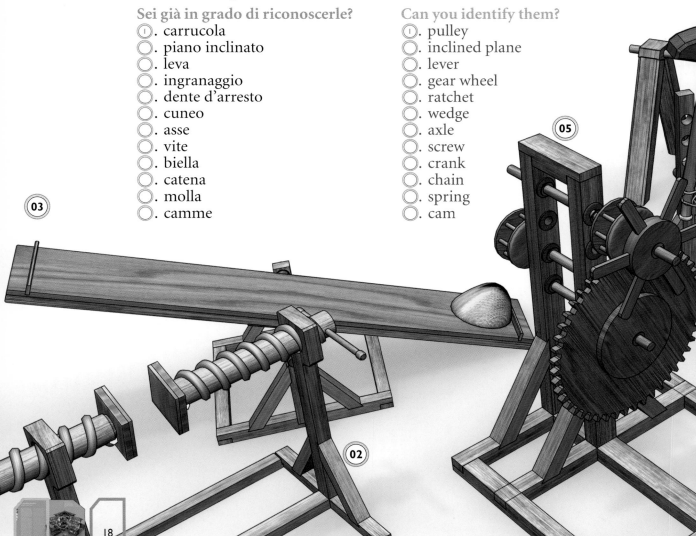

03

02

05

18

19

La carrucola | Pulley
C. Madrid I, f. 71r

La carrucola è una ruota con un solco dentro la quale scorre una fune che viene utilizzata per sollevare o muovere pesi. Quando la fune viene tirata, l'attrito mette in moto la carrucola, la quale, girando sul suo asse, permette di sollevare pesi difficilmente spostabili direttamente con la sola forza dell'uomo.

A pulley is a grooved wheel. A rope runs in the groove and the pulley is used to lift or move weights. When you pull on the rope it causes friction and the friction moves the wheel. By turning the wheel on its axle, the pulley can lift weights that would be hard for humans to lift by hand.

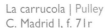

Il piano inclinato | Inclined plane
C. Madrid I, f. 64v

È un metodo che sfrutta la forza di gravità: si tratta di una superficie inclinata che rende più facile tirare, spingere o far rotolare carichi pesanti. La pendenza dei piani inclinati può variare in base all'uso che se ne deve fare e alla forza d'attrito che il carico esercita sopra il piano stesso.

This method uses the force of gravity: it's an inclined surface that makes it easier to pull, push or roll heavy weights. How much the surface slopes can be altered to suit the job being done and the amount of friction the weight itself puts on the surface.

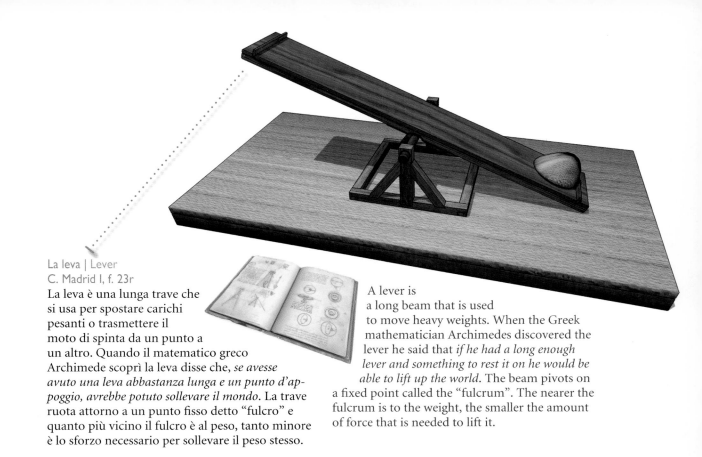

La leva | Lever
C. Madrid I, f. 23r

La leva è una lunga trave che si usa per spostare carichi pesanti o trasmettere il moto di spinta da un punto a un altro. Quando il matematico greco Archimede scoprì la leva disse che, *se avesse avuto una leva abbastanza lunga e un punto d'appoggio, avrebbe potuto sollevare il mondo*. La trave ruota attorno a un punto fisso detto "fulcro" e quanto più vicino il fulcro è al peso, tanto minore è lo sforzo necessario per sollevare il peso stesso.

A lever is a long beam that is used to move heavy weights. When the Greek mathematician Archimedes discovered the lever he said that *if he had a long enough lever and something to rest it on he would be able to lift up the world*. The beam pivots on a fixed point called the "fulcrum". The nearer the fulcrum is to the weight, the smaller the amount of force that is needed to lift it.

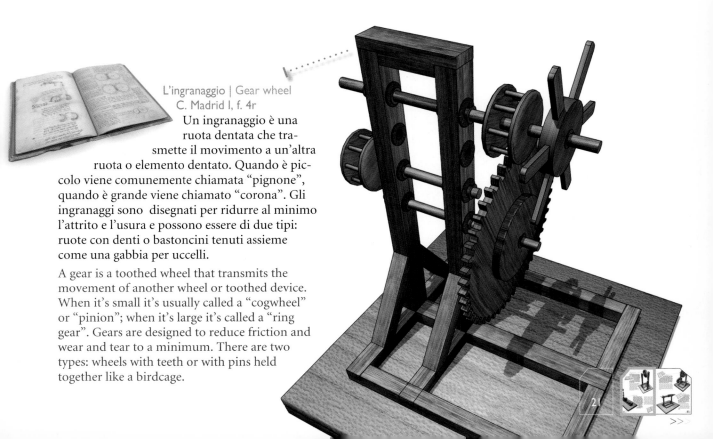

L'ingranaggio | Gear wheel
C. Madrid I, f. 4r

Un ingranaggio è una ruota dentata che trasmette il movimento a un'altra ruota o elemento dentato. Quando è piccolo viene comunemente chiamata "pignone", quando è grande viene chiamato "corona". Gli ingranaggi sono disegnati per ridurre al minimo l'attrito e l'usura e possono essere di due tipi: ruote con denti o bastoncini tenuti assieme come una gabbia per uccelli.

A gear is a toothed wheel that transmits the movement of another wheel or toothed device. When it's small it's usually called a "cogwheel" or "pinion"; when it's large it's called a "ring gear". Gears are designed to reduce friction and wear and tear to a minimum. There are two types: wheels with teeth or with pins held together like a birdcage.

Il dente d'arresto | Ratchet
C. Madrid I, f. 12r

È un macchina molto simile a un ingranaggio i cui denti hanno una particolare forma che permette la rotazione della ruota in un solo senso di marcia. Può essere impiegato per assicurare la salita di un peso utilizzando una carrucola. Una staffa si incastra di volta in volta nei denti d'arresto e non permette alla ruota di "tornare indietro", anche se si applica una forza contraria.

This is very similar to a gear wheel but the teeth have a special shape that only permit the wheel to turn in one direction. It can be used so that a weight being lifted by a pulley does not slip back down. Every so often the "pawl" is caught between the teeth so that the wheel cannot reverse, even if pulled in the opposite direction.

Il cuneo | Wedge
C. Madrid I, f. 46v

Il cuneo è un elemento dalla forma triangolare o trapezoidale (forma con quattro lati, di cui due paralleli). Spinto con forza all'interno di cavità o tra due corpi, è in grado di dividerli e allontanarli. Gli spaccalegna adoperano un cuneo che battono con una mazza sui tronchi di legno. Il principio di funzionamento del cuneo è lo stesso che viene applicato negli attrezzi da taglio o per perforare, come i coltelli, gli aghi, gli scalpelli, i chiodi, i bulloni e gli spilli.

The wedge is a solid block shaped like a triangle or a trapezium (a shape with four sides, two of them parallel). When driven into a hole or between two objects it can make the hole bigger or force the objects apart. Woodcutters use a wedge: they hit it with a hammer to split the tree trunks. Wedges are mainly used in the same way as tools that cut or make holes, such as knives, needles, chisels, nails, bolts and pins.

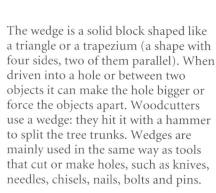

L'asse | Axle
C. Madrid I, f. 28v

L'asse è costituito da un cilindro rigido il cui centro coincide col perno di una ruota, di un ingranaggio o di un oggetto in rotazione. L'asse può essere solidale o slegato dall'oggetto al quale fa da perno. L'esempio più conosciuto è quello applicato alla ruota, che ha permesso all'uomo di compiere i primi viaggi, prima su rudimentali carretti trainati da animali e oggi su automobili e treni. Anche le eliche delle navi e degli aeroplani ruotano attorno ai loro assi.

The axle is a rigid cylinder whose center coincides with the pivot of a wheel, a gear wheel or a rotating object. The axle can be part of the object it turns or it can be separate. The best known example is the wheel axle, which gave people the earliest mechanized form of transport. At first it was used in simple carts pulled by animals. Now it is part of every train and road vehicle. The propellers on ships and airplanes also rotate on axles.

La vite | Screw
C. Madrid I, f. 15r

Durante la sua rotazione la vite avanza in una direzione grazie a una filettatura. La vite sviluppa grandi forze e può essere utilizzata per sollevare pesi notevoli o per produrre grandi pressioni: basti pensare a come una vite tiene uniti strettamente due pezzi di legno o come una serie di viti utilizzate contemporaneamente sia in grado di sollevare grandi pesi.

The screw has a groove called a "thread" that only allows it to turn one way at a time. Screws are very powerful and can be used to lift very heavy weights or exert great pressure: just think how a screw can tightly hold two pieces of wood together or how a number of screws used at the same time can lift heavy weights.

>>

La biella | Crank and rod
C. Madrid I, f. 28v

È l'accoppiamento di una manovella a una ruota con un perno e serve a convertire il moto rettilineo in moto rotatorio e viceversa. Nel disegno di Leonardo la biella viene mossa da una manovella posta su una ruota, e durante la rotazione fa avanzare e indietreggiare periodicamente un pezzo scorrevole lungo un asse di legno.

This is a coupling of crank on a wheel to a connecting rod. It is used to convert linear motion into rotary motion, and vice versa. In Leonardo's drawing, the connecting rod is moved by a handle fixed to a wheel. As the handle is turned, the rod makes the piece at the end run in a reciprocating motion.

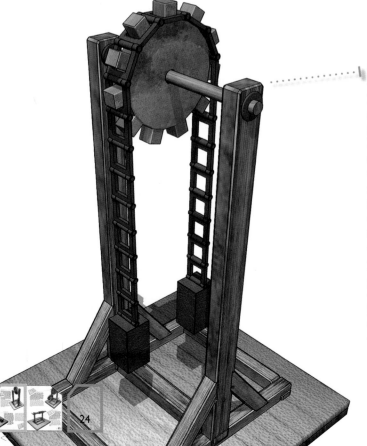

La catena | Chain
C. Madrid I, f. 10v

È un organo meccanico di trazione, costituito da una successione di anelli chiusi, collegati fra loro. Le catene di sollevamento devono potersi avvolgere su ruote munite di scanalature (dette "impronte") nelle quali le maglie debbono incastrarsi. Oggi la catena viene anche utilizzata nei mezzi di trasporto, come le motociclette e le biciclette, e serve per trasmettere la forza del motore, e quindi il movimento, alle ruote.

This is a mechanical device used for pulling things. It is made of a series of closed rings, all linked together. Chains for lifting must wrap around wheels with grooves to hold the links in place. These are known as "flanged wheels". Chains are also used in vehicles like the bicycle and motorcycle, where they transmit the power of the engine to the wheels.

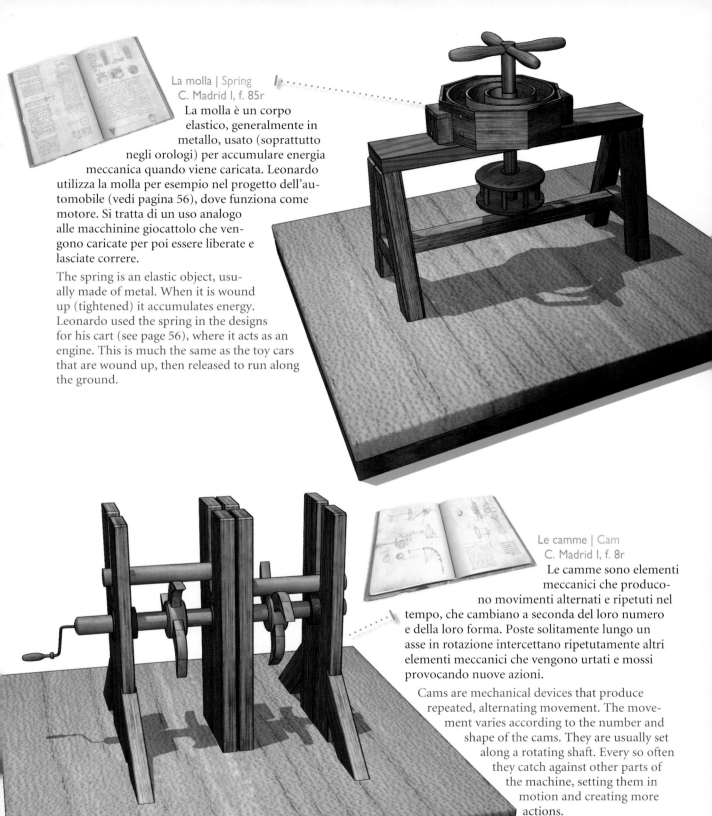

La molla | Spring
C. Madrid I, f. 85r

La molla è un corpo elastico, generalmente in metallo, usato (soprattutto negli orologi) per accumulare energia meccanica quando viene caricata. Leonardo utilizza la molla per esempio nel progetto dell'automobile (vedi pagina 56), dove funziona come motore. Si tratta di un uso analogo alle macchinine giocattolo che vengono caricate per poi essere liberate e lasciate correre.

The spring is an elastic object, usually made of metal. When it is wound up (tightened) it accumulates energy. Leonardo used the spring in the designs for his cart (see page 56), where it acts as an engine. This is much the same as the toy cars that are wound up, then released to run along the ground.

Le camme | Cam
C. Madrid I, f. 8r

Le camme sono elementi meccanici che producono movimenti alternati e ripetuti nel tempo, che cambiano a seconda del loro numero e della loro forma. Poste solitamente lungo un asse in rotazione intercettano ripetutamente altri elementi meccanici che vengono urtati e mossi provocando nuove azioni.

Cams are mechanical devices that produce repeated, alternating movement. The movement varies according to the number and shape of the cams. They are usually set along a rotating shaft. Every so often they catch against other parts of the machine, setting them in motion and creating more actions.

Stanza della geometria
Geometry room

Col passare del tempo, alla base di ogni disegno di Leonardo c'è lo studio della matematica. E le ricerche geometriche, generalmente ispirate da motivi artistici o problemi pratici, fanno parte della sua attività scientifica.

Esaminando le pagine dei suoi codici, i disegni geometrici spiccano per la loro qualità, nonostante Leonardo abbia affinato le sue conoscenze matematiche solo col tempo. Il *Codice Atlantico* è ricco di questo tipo di disegni, e nelle pagine che seguono ne illustriamo alcuni.

Tra gli esempi più famosi di applicazione della tecnica geometrica nel campo dell'arte, troviamo l'*Uomo Vitruviano*. Lo studio delle proporzioni del corpo umano utilizzando la geometria come base è uno dei meravigliosi esempi di come Leonardo riesca con il suo genio a coniugare conoscenza tecnico-scientifica con abilità artistica.

Va citato il suo contributo al trattato *De Divina Proportione* di Luca Pacioli, dedicato a quel rapporto armonioso di forme chiamato "sezione aurea". A Pacioli il duca di Milano, Ludovico il Moro, aveva conferito l'incarico dell'insegnamento pubblico della matematica e in segno di gratitudine Pacioli gli dedica il suo trattato, per il quale chiede al suo amico Leonardo di realizzare le illustrazioni, ovvero 60 magnifici solidi tridimensionali, disegnati a colori.

Each of Leonardo's designs are fundamentally based on his mathematical studies. His research in geometry has been generally inspired by artistic motivation or practical problems which are all part of his scientific activities.

If we look at the pages of the codices, the quality of the geometrical drawings is immediately recognized, although Leonardo perfected his knowledge of math over a period of time. The *Codex Atlanticus* is full of this kind of design and in the following pages we will show you some of them. Among the most famous examples of geometry applied to art is Leonardo's *Vitruvian Man*. This geometrical study of the proportions of the human body is one of the marvelous examples of how Leonardo's genius succeeds in combining technical and scientific knowledge with artistic ability.

Leonardo also made an important contribution to Luca Pacioli's treatise *De Divina Proportione* which was dedicated to the harmonious relationship of form called the "golden section". Ludovico the Moor, the Duke of Milan, had given Pacioli the job of teaching mathematics to the public. To thank him, he dedicated his treatise to the Duke and asked his friend, Leonardo, to provide the illustrations: 60 magnificent three-dimensional solids, all drawn in color.

Il Laboratorio di Leonardo
Da Vinci's Workshop

Nella stanza della geometria Leonardo svolge studi che riguardano i solidi geometrici e le proporzioni. Ma non si limita al disegno: spesso infatti produce dei modellini in legno, carta o metallo.

In the geometry room, Leonardo works on his studies on the construction of geometrical solids and proportion. He did not limit himself to only drawings: often he made models out of wood, paper or metal

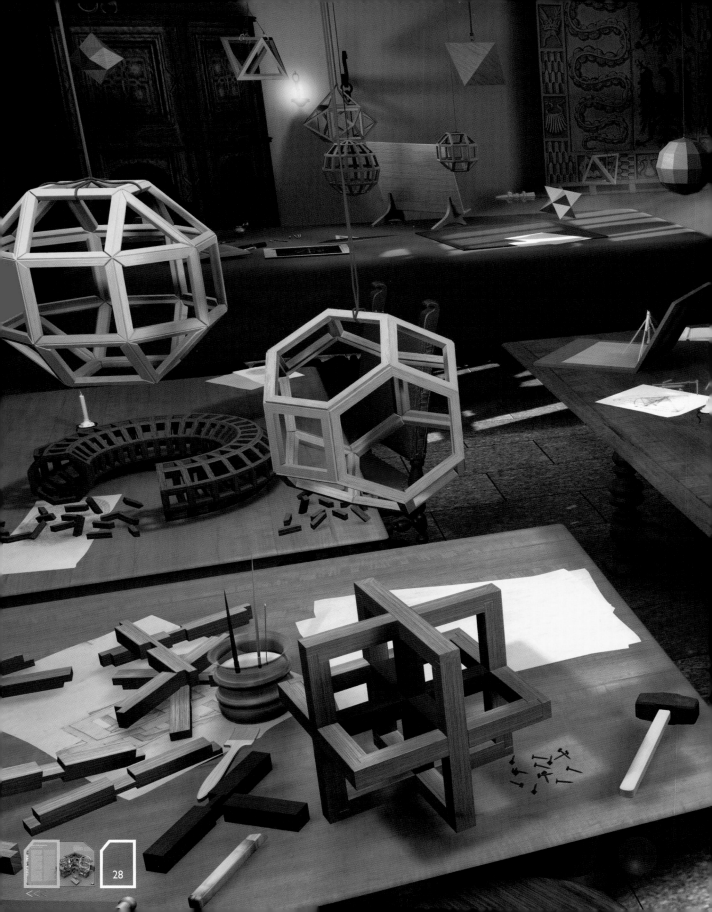

I compassi
Compasses

Leonardo disegna numerosi compassi, da quelli più semplici a due gambe a quelli più complessi per utilizzi particolari.
È interessante notare come cerchi di migliorare e progettare nuovi compassi che servono anche a lui per disegnare. Alcuni sono talmente belli che potrebbero essere venduti anche oggi...

Leonardo designed many compasses, from the most basic with just two arms, to very complicated ones for special purposes.
It's interesting to see how he invented instruments that he could use to draw his own designs. You can see the care he took in designing the compasses. Just look at the decoration and the special mechanisms – they could really be modern instruments!

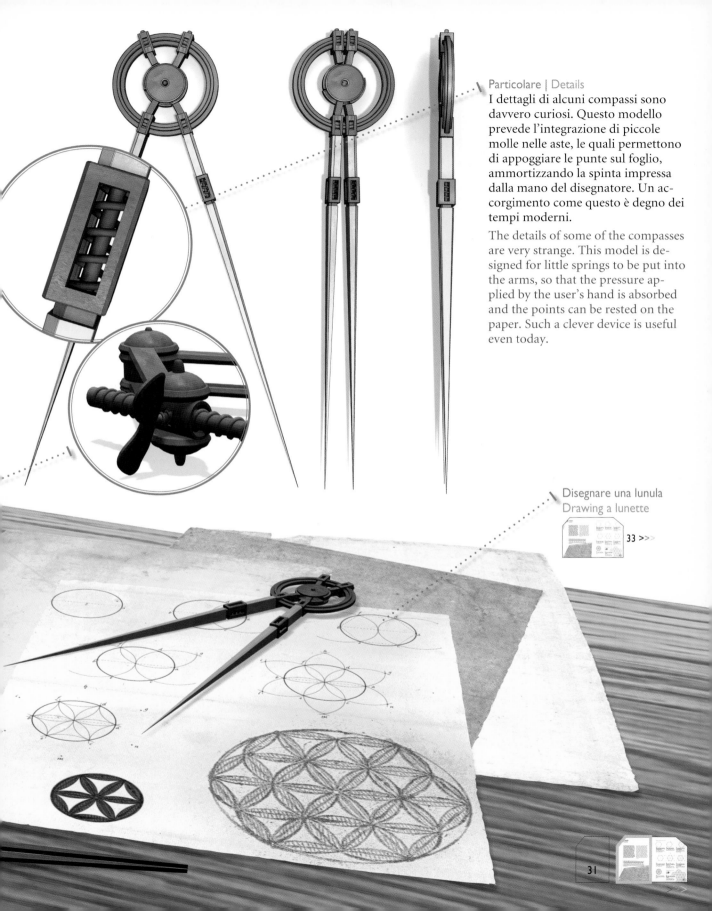

I dettagli di alcuni compassi sono davvero curiosi. Questo modello prevede l'integrazione di piccole molle nelle aste, le quali permettono di appoggiare le punte sul foglio, ammortizzando la spinta impressa dalla mano del disegnatore. Un accorgimento come questo è degno dei tempi moderni.

The details of some of the compasses are very strange. This model is designed for little springs to be put into the arms, so that the pressure applied by the user's hand is absorbed and the points can be rested on the paper. Such a clever device is useful even today.

Disegnare una lunula
Drawing a lunette

33 >>>

Le lunule
Lunettes

In molti fogli del *Codice Atlantico*, Leonardo disegna numerosi cerchi o semicerchi che divide poi in aree bianche e nere. Gli spicchi che ricava con il compasso assomigliano a spicchi di luna, ecco perché vengono chiamati "lunule". Si tratta di ricerche geometriche con le quali cerca la quadratura del cerchio, ovvero la possibilità di tagliare un cerchio in piccoli pezzi che, riuniti tra loro in altro modo, possano formare un quadrato. Le combinazioni possibili sono tantissime e nessuna è perfetta, per questo ne disegna così tante.

On a number of pages of the *Codex Atlanticus*, Leonardo drew many circles or semi-circles that he divided into black and white sections. The segments he marked out with the compass look like half-moons and are called "lunettes". These were experiments in geometry in which Leonardo was trying to "square the circle" – he was trying to divide a circle into small pieces that would form a square if he put them back together in a different way. There are lots of ways of doing it and none of them is perfect; that's why he drew so many.

Codice Atlantico, foglio 455r | Codex Atlanticus, folio 455r

In questo doppio foglio sono presenti molte forme geometriche a base circolare, con la loro descrizione. Per risparmiare tempo e spazio, Leonardo ne disegna sempre metà, sottintendendo l'altra come avviene nel disegno tecnico moderno.

This double page shows many geometrical shapes based on the circle, along with their descriptions. To save time and space, Leonardo always drew only half, leaving the rest to the imagination. The same practice is used in modern design techniques today.

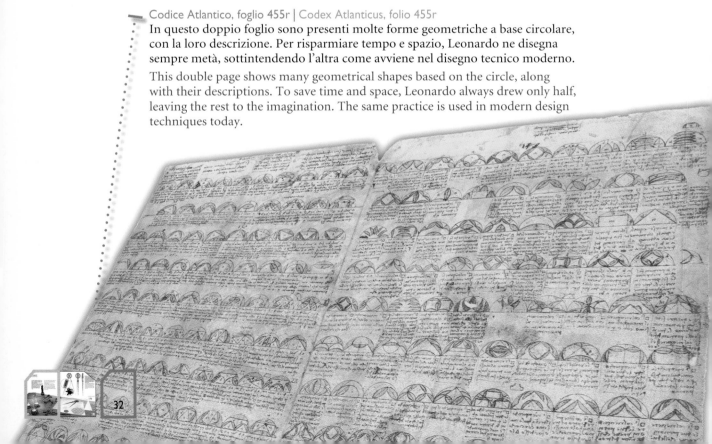

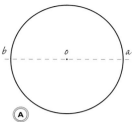

A

Disegna un cerchio con centro *o* e raggio *oa*. Mantieni lo stesso raggio nei passaggi successivi.

Draw a circle with center *o* and radius *oa*. Keep the same radius in each of the following steps.

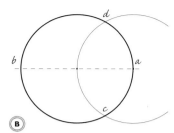

B

Traccia un cerchio con centro *a* e stesso raggio del precedente.

Draw a circle with center *a* and the same radius as the previous one.

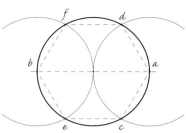

C

Con un compasso in *b* traccia un arco. Congiungi i punti *a*, *b*, *c*, *d*, *e*, *f*. Otterrai un esagono.

Put your compass at *b* and draw an arc. Join points *a*, *b*, *c*, *d*, *e*, *f* and you'll get a hexagon.

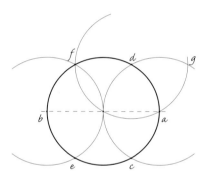

D

Punta il compasso in *d* e traccia un arco. In questo modo, individui *g*.

Put the compass at *d* and draw an arc. That will give you *g*.

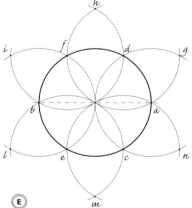

E

Ripeti l'operazione puntando il compasso in *f*, *e* e *c*. Individui così i punti *h*, *i*, *l*, *m* e *n*.

Repeat the same step, but with your compass at *f*, *e* and *c*. That way you'll get points *h*, *i*, *l*, *m* and *n*.

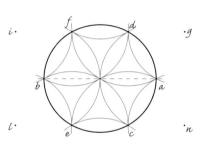

F

Punta il compasso nei punti *g*, *h*, *i*, *l*, *m* e *n* e traccia degli archi come mostrato nella figura.

With the compass at points *g*, *h*, *i*, *l*, *m* and *n* draw arcs as shown in the diagram.

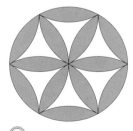

G

Colora le aree come nella figura.

Color the sections as shown in the diagram.

A cosa potevano servire le lunule?
What use are lunettes?

35 >>>

H

Puoi provare a comporre più figure per crearne una più complessa.

Now you can try to draw several overlapping shapes to make a single, more complicated design.

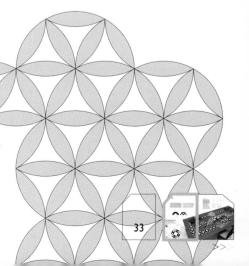

33

Le lunule
Lunettes

Le figure geometriche disegnate da Leonardo composte da lunule e parti del cerchio sono talmente belle che, se ripetute, potrebbero diventare degli elementi decorativi, per esempio per creare un intarsio su un tavolo.

Leonardo drew geometrical figures made up of lunettes and segments of circles that are so beautiful that, if repeated, they could become decorative patterns. For example, they could be used in an inlaid table.

Finisci le lunule | Complete the lunettes

Completa i disegni delle lunule a tuo piacere, alternando il bianco e il nero, oppure utilizzando anche delle matite colorate.

Choose how to complete the drawings of the lunettes. You can use black and then white, or even different colors.

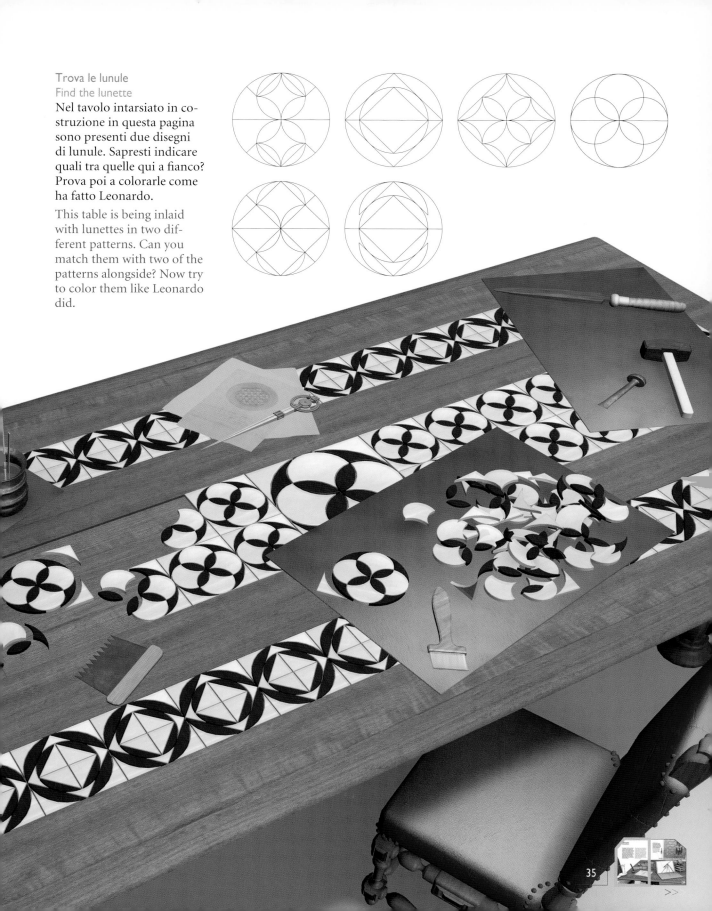

Trova le lunule
Find the lunette

Nel tavolo intarsiato in costruzione in questa pagina
sono presenti due disegni
di lunule. Sapresti indicare
quali tra quelle qui a fianco?
Prova poi a colorarle come
ha fatto Leonardo.

This table is being inlaid
with lunettes in two dif-
ferent patterns. Can you
match them with two of the
patterns alongside? Now try
to color them like Leonardo
did.

L'elissografo
Ellipsograph

L'elissografo è simile a un compasso, ma in realtà è uno strumento più complesso. Questo particolare modello ha tre braccia fissate al piano di lavoro e un asse centrale su cui viene collocato un braccio girevole con una punta scorrevole, che permette di tracciare la curva parabolica su un foglio opportunamente inclinato. Il piccolo peso che si vede vicino alla punta serve per far scivolare la matita sul foglio e a tenerla premuta per lasciare il segno.

This compass for drawing ellipses is similar to an ordinary compass, but it's more elaborate. This particular model has three arms fixed to the working surface and a central pivot connected to a moveable arm with a sliding pointer. This allows the user to draw parabolic curves on a sheet of paper placed at a suitable angle. A small weight hanging from the pointer that draws the curve, a parabola, ensures that the tip is always touching the paper.

La parabola | Parabola

Nel 1400 la curva parabolica veniva disegnata con un metodo impreciso: fissati sul foglio alcuni punti, si univano tra loro a mano libera. Invece con questo strumento è possibile tracciare una linea continua perfetta.

In the 15th century, parabolas were drawn by a method that was not very accurate. Now, with this instrument, it is possible to draw a perfect continuous line.

De Divina Proportione
De Divina Proportione

Il *De Divina Proportione* è un trattato di geometria del frate Luca Pacioli, che ricercò nella proporzione tra i numeri i principi ispiratori in architettura, scienza e natura. Per questo volume, realizzato all'epoca in tre copie manoscritte di cui una è oggi andata perduta, Leonardo ha realizzato 60 bellissimi disegni che rappresentano poliedri tridimensionali.

De Divina Proportione is a treatise on geometry by Luca Pacioli, a monk, who was trying to find the underlying principles of architecture, science and nature in the relationships of mathematical proportions. For this volume, of which three manuscript copies were originally produced (one has since been lost), Leonardo drew 60 incredibly beautiful designs representing three-dimensional polyhedrons.

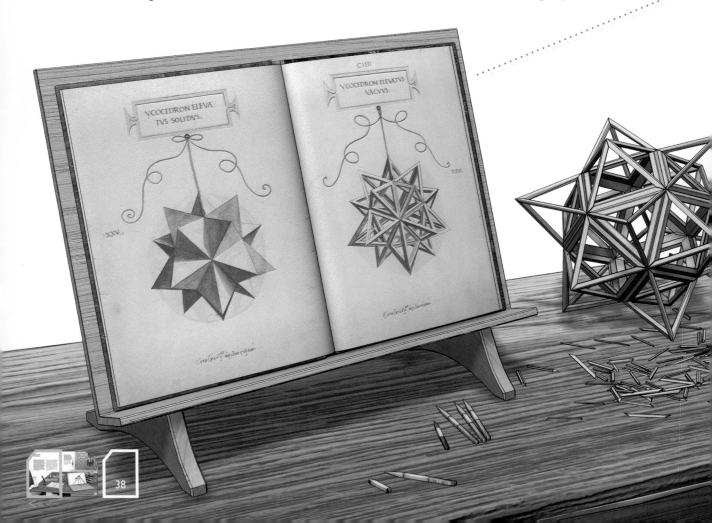

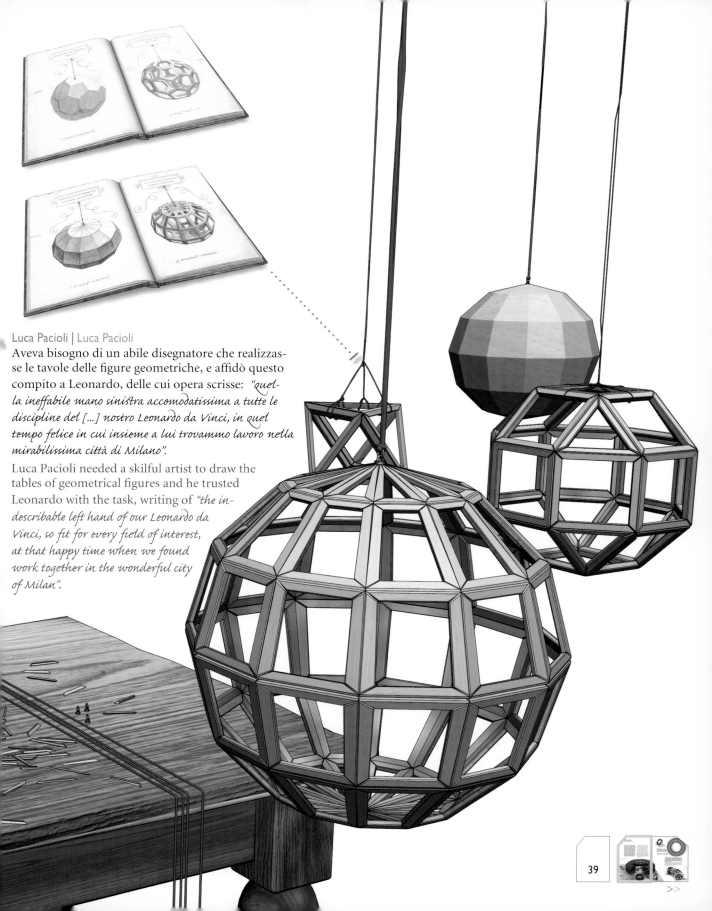

Luca Pacioli | Luca Pacioli

Aveva bisogno di un abile disegnatore che realizzasse le tavole delle figure geometriche, e affidò questo compito a Leonardo, delle cui opera scrisse: *"quella ineffabile mano sinistra accomodatissima a tutte le discipline del [...] nostro Leonardo da Vinci, in quel tempo felice in cui insieme a lui trovammo lavoro nella mirabilissima città di Milano"*.

Luca Pacioli needed a skilful artist to draw the tables of geometrical figures and he trusted Leonardo with the task, writing of *"the indescribable left hand of our Leonardo da Vinci, so fit for every field of interest, at that happy time when we found work together in the wonderful city of Milan"*.

Il Mazzocchio
The Mazzocchio

Il Mazzocchio, così chiamato dallo stesso Leonardo, è formato da 32 sezioni con base ottagonale. Il manoscritto è molto accurato e non lascia dubbi sulla forma della struttura. Leonardo infatti schizza tutte le facce con i relativi vuoti lasciando quindi trasparire la struttura sottostante, rendendola estremamente realistica. Oggetti come questo venivano realizzati come studio geometrico, ma, data la loro particolarità, potevano anche fungere da ornamento nelle grandi sale del Castello del duca.

This design, which Leonardo himself calls "Mazzocchio", comprises 32 sections, each with an octagonal base. The manuscript is very precise and leaves no doubt about the shape of the construction. In fact, Leonardo sketched all the planes with the relevant spaces so that the underlying structure can be seen, which makes the figure very realistic. Objects like this were constructed as exercises in geometry but in view of their curiosity value, they could also be used as ornaments in the halls of the Duke's castle.

Quanti pezzi ci sono nel Mazzocchio?
How many pieces are there in the Mazzocchio?

42 >>>

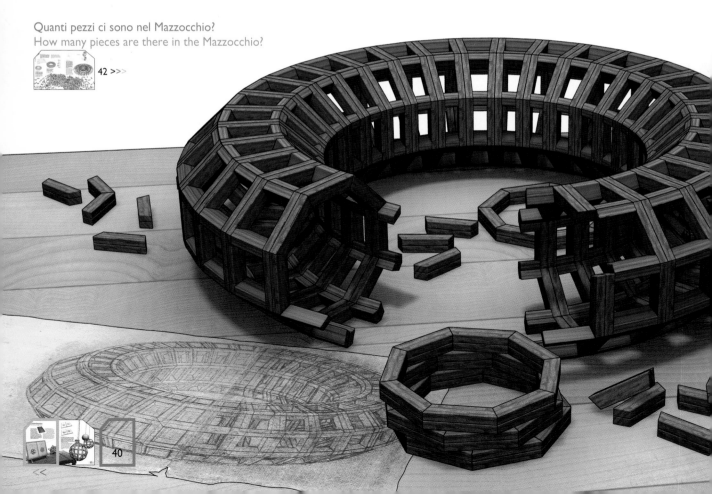

<<

Il particolare | Details

In questa figura puoi vedere una sola sezione del Mazzocchio. Si può notare come la complessa forma circolare sia composta da 32 sezioni, tutte uguali tra loro.

In this diagram you can see only one section of the Mazzocchio. Note how the complicated circular shape is made up of 32 equal sections.

I materiali | Materials

È probabile che Leonardo costruisse dei modelli in legno, ma nelle note manoscritte presenti sul foglio sono presenti indicazioni per realizzare l'intero oggetto in metallo. È ipotizzabile che abbia prima disegnato il Mazzocchio, realizzato un prototipo in legno e solo successivamente pensato a una realizzazione in cera e infine a una vera e propria fusione in metallo.

Leonardo probably made wooden models, but the handwritten notes on the page indicate that the whole thing was to be made of metal. The likely theory is that first he drew the Mazzocchio, then made a wooden prototype and only later thought of making a wax version and finally of casting it in metal.

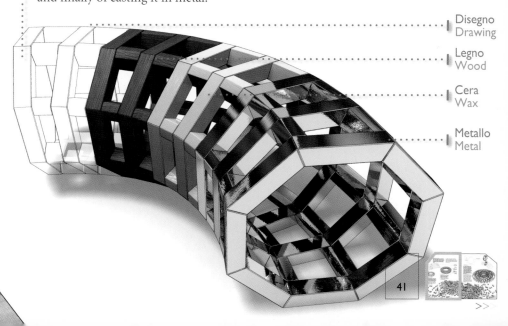

Disegno
Drawing

Legno
Wood

Cera
Wax

Metallo
Metal

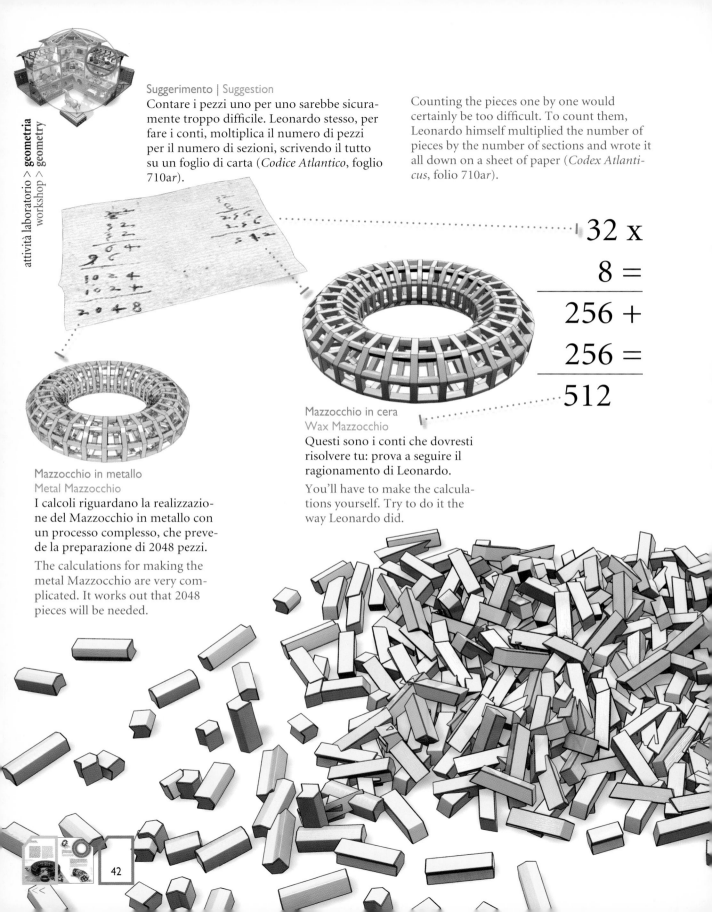

Suggerimento | Suggestion

Contare i pezzi uno per uno sarebbe sicuramente troppo difficile. Leonardo stesso, per fare i conti, moltiplica il numero di pezzi per il numero di sezioni, scrivendo il tutto su un foglio di carta (*Codice Atlantico*, foglio 710a*r*).

Counting the pieces one by one would certainly be too difficult. To count them, Leonardo himself multiplied the number of pieces by the number of sections and wrote it all down on a sheet of paper (*Codex Atlanticus*, folio 710a*r*).

$$32 \text{ x}$$
$$8 =$$
$$256 +$$
$$256 =$$
$$512$$

Mazzocchio in cera
Wax Mazzocchio

Questi sono i conti che dovresti risolvere tu: prova a seguire il ragionamento di Leonardo.

You'll have to make the calculations yourself. Try to do it the way Leonardo did.

Mazzocchio in metallo
Metal Mazzocchio

I calcoli riguardano la realizzazione del Mazzocchio in metallo con un processo complesso, che prevede la preparazione di 2048 pezzi.

The calculations for making the metal Mazzocchio are very complicated. It works out that 2048 pieces will be needed.

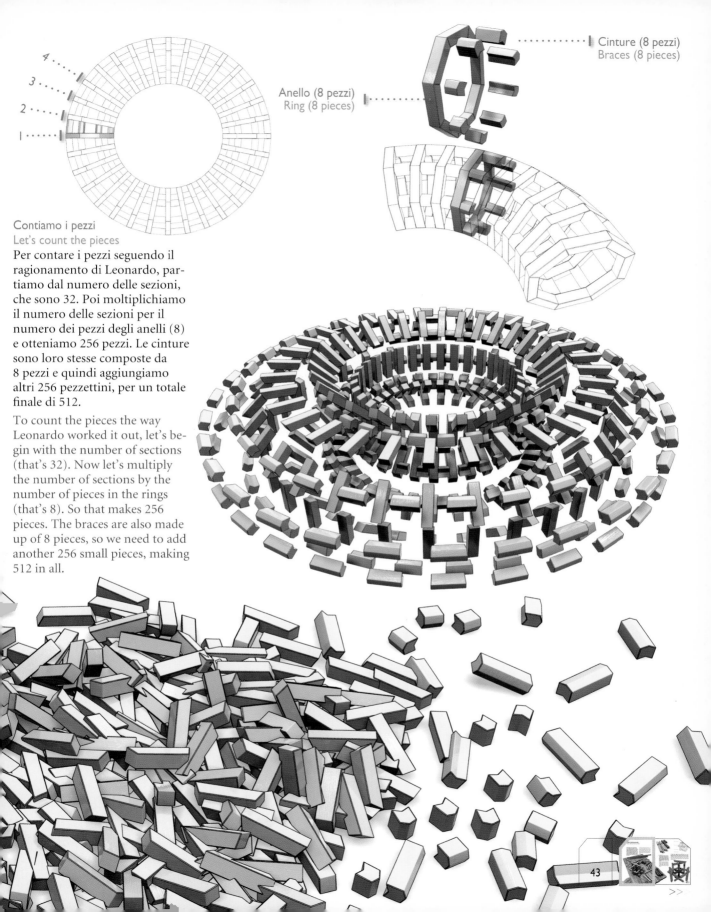

4
3
2
I

Cinture (8 pezzi)
Braces (8 pieces)

Anello (8 pezzi)
Ring (8 pieces)

Cinture (8 pezzi)
Braces (8 pieces)

Contiamo i pezzi
Let's count the pieces

Per contare i pezzi seguendo il ragionamento di Leonardo, partiamo dal numero delle sezioni, che sono 32. Poi moltiplichiamo il numero delle sezioni per il numero dei pezzi degli anelli (8) e otteniamo 256 pezzi. Le cinture sono loro stesse composte da 8 pezzi e quindi aggiungiamo altri 256 pezzettini, per un totale finale di 512.

To count the pieces the way Leonardo worked it out, let's begin with the number of sections (that's 32). Now let's multiply the number of sections by the number of pieces in the rings (that's 8). So that makes 256 pieces. The braces are also made up of 8 pieces, so we need to add another 256 small pieces, making 512 in all.

>>

Il solido tridimensionale
Three-dimensional solid

Questa figura, che Leonardo usa come esercizio di disegno tecnico, nasce dall'intersezione di tre piani di uguali dimensioni: due sono posti sull'asse verticale, mentre il terzo si trova sul piano orizzontale. Per assicurare la stabilità del solido, ci sono quattro pezzi che collegano i punti mediani di ogni quadrato col centro del solido.

This three-dimensional figure is created from the intersection of three planes of equal size: two are vertical and the third is horizontal. To make sure the solid stays fixed, there are four pieces that join the mid-points of each square to the center of the solid.

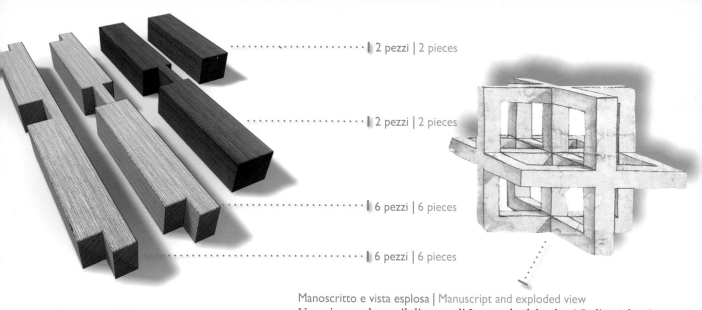

2 pezzi | 2 pieces

2 pezzi | 2 pieces

6 pezzi | 6 pieces

6 pezzi | 6 pieces

I componenti | Parts

Le soluzioni per realizzare in legno il cubo di Leonardo sono molte. La più semplice prevede la realizzazione di quattro pezzi diversi, i quali, in quantità diverse, compongono l'intero solido tridimensionale. Per realizzare il cubo con questi elementi occorrono in totale 16 pezzi.

There are many ways to make Leonardo's cube. The easiest needs different numbers of four kinds of pieces, all of which are used to make the complete three-dimensional solid. This way, you will need a total of 16 pieces to make the cube.

Manoscritto e vista esplosa | Manuscript and exploded view

Una vista esplosa e il disegno di Leonardo del cubo (*Codice Atlantico*, foglio 709r) possono aiutare a chiarirne la struttura. Sopra, i componenti del cubo. Sapresti riconoscerli nel solido montato o nell'esploso?

An exploded view and Leonardo's drawing of the cube (*Codex Atlanticus*, folio 709r) may help to explain how it is made. Above: the pieces of the cube. Do you think you can find them in the completed solid or the exploded view?

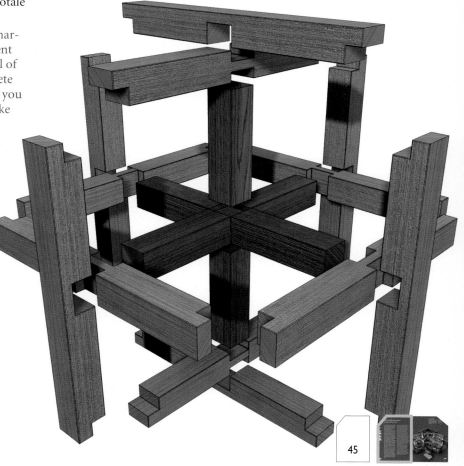

45

Stanza della meccanica
Engineering room

Lo studio della meccanica riveste un ruolo importante nella vita di Leonardo: a lui si attribuiscono infatti intuizioni che hanno condotto nei secoli successivi all'ideazione di macchinari importanti.

Lo studio meccanico del Genio di Vinci è caratterizzato da una continua e accanita ricerca del moto continuo e automatico con uno scopo fondamentale: sollevare l'uomo dalla fatica del lavoro. Ma non inventa sempre: sono molti i casi nei quali trae ispirazione da meccanismi già esistenti, cercando però di migliorarli, aggiungendo gli spunti geniali che lo caratterizzano. Possiamo così ammirare segherie azionate dall'energia idraulica e che "funzionano quasi da sole", sistemi meccanici in grado di muoversi autonomamente senza l'ausilio dell'uomo, congegni per sollevare l'acqua, meccanismi per moltiplicare l'azione dell'uomo impressa tramite una leva su oggetti enormemente più pesanti.

La meccanica è uno degli ambiti in cui Leonardo si esprime al meglio, ponendo le basi per un nuovo modo di disegnare e inventando quello che nelle scuole viene oggi insegnato come "disegno tecnico". Possiamo quindi ammirare viste in pianta, esplosi, prospettive e disegni di funzionamento così belli e affascinanti da farci dimenticare che si tratta di una disciplina tecnica. Ancora una

The study of engineering played an important part in Leonardo's life and he is credited with ideas that led to the invention of some very important machines in later centuries. Da Vinci's genius for mechanics led him to a continual, determined search for automatic perpetual motion with an essential purpose in mind: he wanted to make work easier. He didn't always invent new things, however. He often got ideas from existing machinery, but he always tried to improve it and added that spark of genius that is his trademark. As a result, we can admire water-powered saws that "almost work on their own", mechanical devices that can move by themselves without any human assistance, systems for lifting water, simple or more complicated mechanisms that increase the energy applied on a lever to move much heavier objects.

Engineering is one of the fields in which Leonardo expressed his ideas best. He laid down the basis for a new way of designing and invented what is now taught in schools as "Technical drawing". He gave us a lot to admire: views in plan, exploded views, perspectives and working drawings, all so beautiful and fascinating that we forget we are looking at a technical subject. Here again the "scientific artist" is inimitable.

Il Laboratorio di Leonardo
Da Vinci's Workshop

Il Laboratorio di Leonardo
Da Vinci's Workshop
Al piano terra è collocata la stanza
della meccanica. Uno spazio
dedicato allo studio di congegni
e alla realizzazione di modelli
da ricostruire e applicare a varie
macchine.

The engineering room is on the
first floor. Area dedicated to
examining gadgets and building models to use in the various
machines.

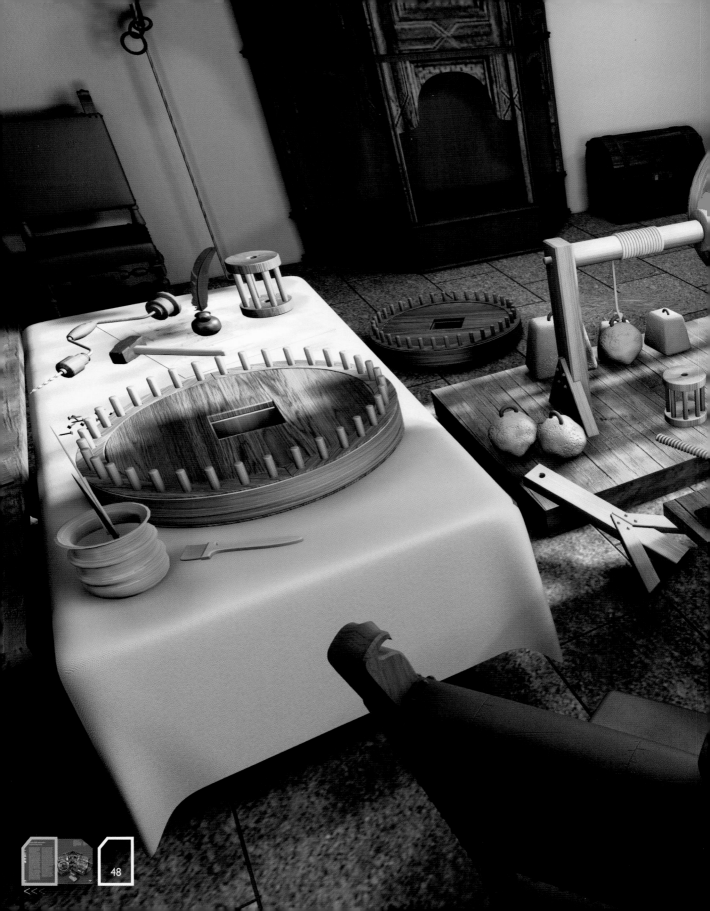

Il moto alternato
Reciprocating motion

Tra le numerose macchine disegnate da Leonardo occorre fare una distinzione tra macchine destinate a un reale impiego e macchine teoriche. Mentre le prime potevano avere un'applicazione immediata (pensiamo per esempio a un telaio, un ponte, un compasso o un argano), le seconde invece, come questa macchina a moto alternato, erano progetti di studio, che servivano a Leonardo per comprendere bene un particolare meccanismo, che solo in un secondo momento sarebbe stato impiegato in una macchina specifica. Questo apparecchio è contenuto in una delle pagine di meccanica meglio disegnate del *Codice Atlantico* (foglio 30*v*) e serve a trasformare il moto alternato impresso dall'uomo nel moto rotatorio del perno che solleva (con moto continuo) un peso attaccato con una corda.

Leonardo drew a large number of machines and we need to differentiate between those intended for real jobs and those that helped him develop his ideas. While the first sort could be put to immediate use (for example, a loom, a bridge, compasses or a winch), the second – like this reciprocating motion machine – were design studies that helped Leonardo understand a particular mechanism properly. The mechanism would not be used in a specific machine until later. This apparatus appears on one of the better drawn engineering pages of the *Codex Atlanticus* (folio 30*v*) and is used to convert the reciprocating motion applied by cranking the lever to the rotary motion of the shaft that turns (in continuous motion) and lifts the weight attached to the rope.

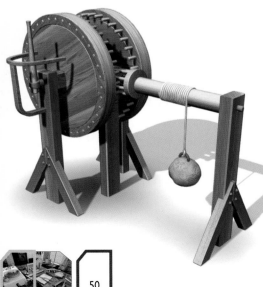

Il manoscritto | Manuscript

L'importanza di questo disegno, oltre alla macchina rappresentata, consiste nella sua rappresentazione. Una vista completa, a sinistra, e una esplosa, a destra, ne chiariscono inequivocabilmente il funzionamento.

This drawing is important, not just for the machine but for the way in which it is shown. On the left is a view of the whole machine; on the right, an exploded view that shows exactly how it works.

Ingranaggio | Gear wheel

Azionando la leva della macchina "a moto alternato" avanti e indietro, si produce il movimento delle due ruote più grandi. Queste ingaggiano il perno centrale facendolo girare di moto rotatorio continuo, permettendo così la salita del masso collegato alla fune. Secondo te, dove poteva essere impiegata una macchina dotata di un meccanismo simile? Scoprilo a pagina 86.

Moving the lever on the "reciprocating motion machine" backwards and forwards turns the two largest wheels. These connect with the central pivot and make it rotate with a continuous motion so that the rock attached to the cord is raised. Where do you think a machine with that kind of mechanism might be used? Find out on page 86.

Barca a pedali
Paddle boat

86 >>

Il trancia-tubi a vite
Tube cutter with endless screw

Leonardo non progetta solo macchine di grandi dimensioni, ma anche piccoli e preziosi utensili da lavoro, come queste "forbici" a vite per sezionare materiali resistenti come un cilindro di metallo.
Le due taglienti lame dentate, azionate da un meccanismo a trazione posto su una vite senza fine, si chiudono con forza sul metallo. Vagamente simile alle comuni forbici, questo sistema garantisce una forza di taglio, impressa dalla vite, enormemente superiore a quella che può impiegare un uomo con la semplice pressione della mano.

Leonardo did not only design large machines. He also invented small but very useful tools like these "screw-scissors", used to cut hard materials such as a metal tube.
The pair of serrated blades is worked by a traction device mounted on an endless screw and closes with great force on the metal. Vaguely similar to everyday scissors, the screw system guarantees much greater cutting power than a man could obtain by simply using his hand to close the scissors.

Funzionamento | How it works

Dopo aver inserito un tubo metallico tra le lame aperte, si deve ruotare lentamente la vite posteriore posta sulla lunga filettatura. Girandola, le lame si chiudono sul pezzo da tagliare, lentamente, ma con molta forza. Una volta serrate, le lame continuano la loro corsa fino a tranciare completamente il metallo.

Place a metal tube between the blades, then slowly turn the screw at the back (the one on the long thread). As you turn it, the blades close on the object to be cut; they move slowly but with great pressure. Once clamped on the tube, the blades continue to close until they have cut right through the metal.

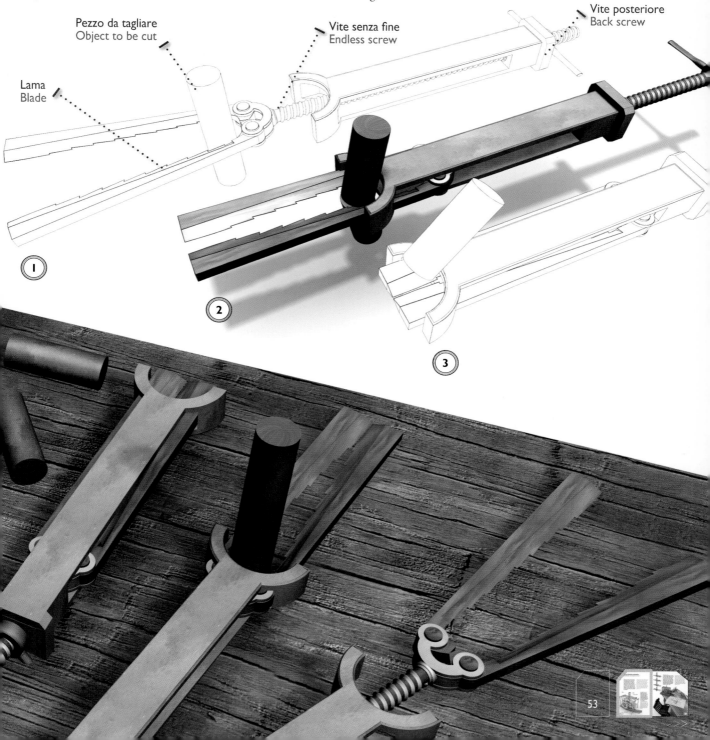

Pezzo da tagliare
Object to be cut

Vite senza fine
Endless screw

Vite posteriore
Back screw

Lama
Blade

La sega idraulica automatica
Automatic water-powered saw

Questa particolare sega idraulica è un esempio di come Leonardo sia abile nell'analizzare e perfezionare strumenti già noti. Gli aspetti importanti sono due: l'energia che aziona la lama è fornita dal moto dell'acqua, per esempio all'interno di un mulino; la stessa energia aziona anche il carrello sul quale viene appoggiato il tronco. Questo carrello si avvicina automaticamente alla sega, facendo avanzare il tronco che viene così tagliato.

This particular water-powered saw is an example of how clever Leonardo was in analyzing and improving existing tools. There are two important things to note: the energy that powers the blade originates from the movement of the water (like it does in a mill); the same energy also drives the carriage that holds the tree trunk. The carriage automatically moves the trunk toward the saw so that it is cut.

Come funziona | How it works

Il meccanismo di funzionamento si basa sulla forza motrice dell'acqua: attraverso una ruota immersa in un corso d'acqua e collegata ai meccanismi, la sega si aziona compiendo il proprio lavoro. L'unico contributo dell'operatore è quello di appoggiare sul carrello il tronco e prelevarlo una volta tagliato.

The working mechanism is based on the force of water. A wheel set in a channel of running water is connected to the mechanical parts and together these drive the saw, which then "works by itself". All the workman has to do is load the tree trunks onto the carriage and take them off once they have been cut.

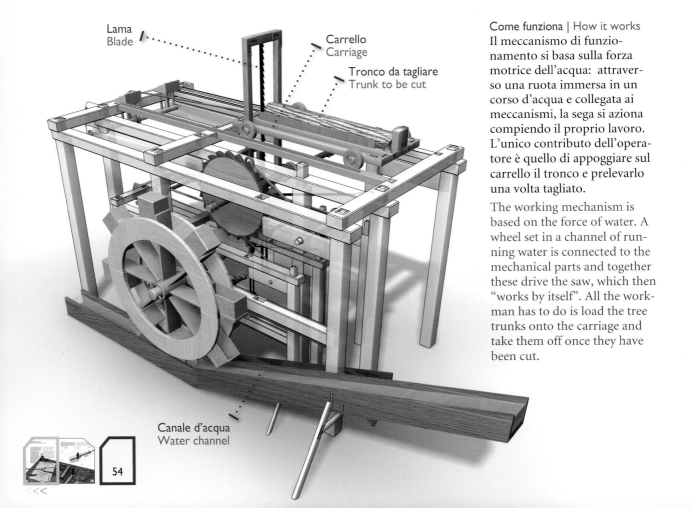

Lama
Blade

Carrello
Carriage

Tronco da tagliare
Trunk to be cut

Canale d'acqua
Water channel

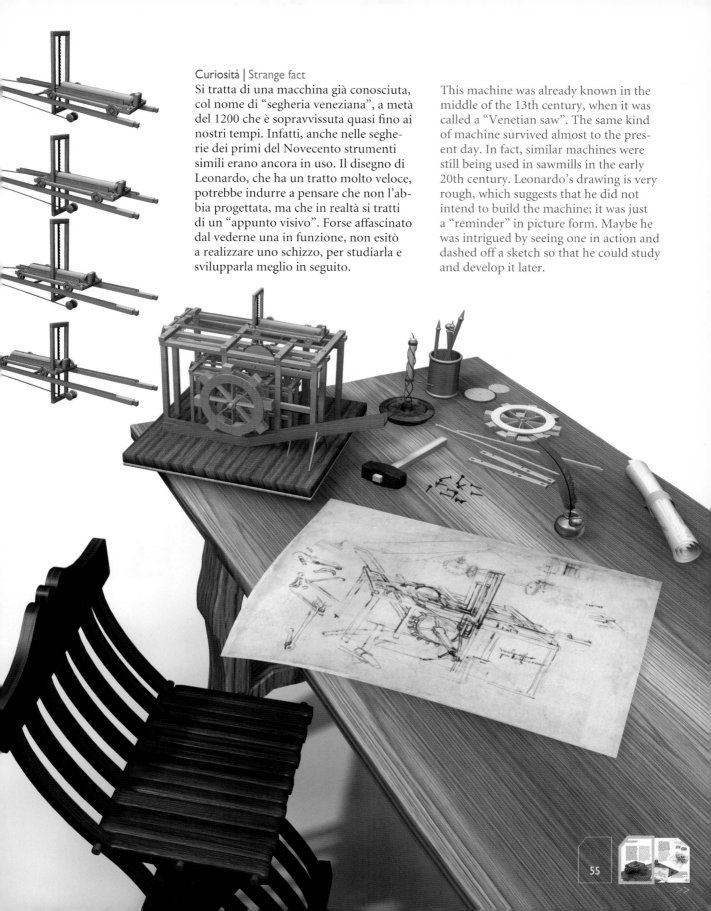

Si tratta di una macchina già conosciuta, col nome di "segheria veneziana", a metà del 1200 che è sopravvissuta quasi fino ai nostri tempi. Infatti, anche nelle segherie dei primi del Novecento strumenti simili erano ancora in uso. Il disegno di Leonardo, che ha un tratto molto veloce, potrebbe indurre a pensare che non l'abbia progettata, ma che in realtà si tratti di un "appunto visivo". Forse affascinato dal vederne una in funzione, non esitò a realizzare uno schizzo, per studiarla e svilupparla meglio in seguito.

This machine was already known in the middle of the 13th century, when it was called a "Venetian saw". The same kind of machine survived almost to the present day. In fact, similar machines were still being used in sawmills in the early 20th century. Leonardo's drawing is very rough, which suggests that he did not intend to build the machine; it was just a "reminder" in picture form. Maybe he was intrigued by seeing one in action and dashed off a sketch so that he could study and develop it later.

Il carretto automotore
Self-propelling cart

"L'automobile" è una delle macchine più note, perché è stata oggetto di diverse ricostruzioni fisiche. Nonostante questo, solo da poco tempo ne è stato scoperto il vero utilizzo: non un'automobile nel significato moderno, ma nel senso che è in grado di muoversi da sola. Un complicato sistema d'ingranaggi permette di caricare le molle che fanno da motore a questa macchina. Dalle quinte di un teatro veniva lasciata entrare in scena coperta da pupazzi in cartapesta, che potevano muovere alcune loro parti; per esempio, potevano girare la testa o spostare le braccia. Si tratta quindi di un effetto speciale teatrale.

The "self-propelling cart" is one of the best known machines because many reproductions of it have been made. Nevertheless, it was only recently that its true use was discovered. It is not a motorized vehicle in the modern sense, but in the sense that it can move on its own. It has springs to act as an engine and a complicated gear system to wind the springs. The cart was used in the theatre, where it came on stage from the wings, loaded with papier mâché figures that were able to move some of their limbs. For example they might turn their heads or lift their arms. The cart is actually a "special effect" for theatrical use.

Il motore a molle | Spring-driven engine

A lungo, il segreto di questa macchina è rimasto nascosto in questo particolare, che Leonardo lascia sottinteso nel foglio 812r del *Codice Atlantico*. Spesso infatti non disegna tutti gli elementi o, se lo fa, sono presenti in altri manoscritti, in questo caso nel *Codice Madrid*. Una volta immaginata la presenza di queste molle ad avvolgimento, la macchina rivela molti dei suoi segreti. Le molle vanno precaricate, un po' come con le automobiline giocattolo di oggi, e forniscono così l'energia necessaria al movimento della macchina e di tutti i suoi meccanismi.

On page 812r of the *Codex Atlanticus* there is a detail Leonardo only hinted at, and it was this that kept the secret of this machine hidden for a very long time. Often he did not draw all of the parts in one page and, in fact, some are drawn in other manuscripts – in this case the *Codex Madrid*. Once the presence of these coil springs had been identified the machine revealed many of its secrets. The springs have to be wound up, rather like today's toy cars, so that they provide the energy needed to drive the cart and all its mechanisms.

Il manoscritto | Manuscript

Il foglio 812r del *Codice Altlantico* per quasi 100 anni ha tratto in inganno gli studiosi. Per comprendere il funzionamento dell'"automobile" occorre infatti cercare alcuni pezzi mancanti nascosti in altri manoscritti.

Folio 812r of the *Codex Atlanticus* misled researchers for almost 100 years. To understand how the cart works they had to search other manuscripts for some of the missing pieces.

Stanza dell'architettura
Architecture room

Leonardo va considerato prettamente come un teorico dell'architettura. Sono pochi i casi in cui si cimenta con problemi reali di costruzione, come per esempio quando gli venne chiesto di fare una sua proposta per il tiburio del Duomo di Milano. Nonostante questo, i suoi disegni mostrano il tentativo di superare le soluzioni già adottate dagli altri architetti; Leonardo indaga infatti tutti i possibili schemi. In particolare, nei progetti di chiese adotta la pianta centrale, cercando di risolverne il problema: con quale varietà è possibile dividere gli spazi intorno a un unico punto, ovvero a un asse verticale centrale? E ancora: quali soluzioni innovative sono possibili nel rapporto tra struttura e spazio? Per questo realizza bellissimi disegni con corpi cubici, poligonali e cilindrici. Gli spazi si moltiplicano dominati dall'elemento romano per eccellenza: la cupola.

Oltre alle chiese, disegna anche palazzi, abitazioni rurali, piante di case, raggruppamenti di edifici, scale, fortezze, ville signorili, torri... Fino ad arrivare a una vera e propria "città ideale" nella quale un sistema di canali d'acqua, chiuse e mulini provvede a lavare le strade e smaltire i rifiuti. Anticipa infatti l'importanza dell'armonia nell'ambiente urbano. Scienza dei materiali, razionalità strutturale e definizione prospettica sono il nucleo delle sue architetture. L'arte del costruire diventa lo sforzo di armonizzare l'ambiente con l'uomo e le sue varie esigenze.

In regard to architecture, Leonardo is generally considered mainly as a man of ideas. There are very few cases in which he had to get to grips with real construction problems such as those he met when he was asked to submit a proposal for the tiburium of the Milan cathedral. Nevertheless, his designs show his solutions were better than the methods already used by other architects. In particular, in designs for churches, he used a plan based on a central open area and tried to solve the problem in different ways to construct the spaces surrounding a single point or vertical axis. He also tried to discover new ways in which to organize the relationship between the construction and the available space. His results were extraordinarily beautiful plans with cubic, polygonal and cylindrical structures. The additional areas of space are dominated by the innovative structure of Roman architecture: the dome. As well as churches, he designed noblemen's houses, country houses, plans for smaller houses, groups of buildings, stairways, fortresses, large estates and towers. He even pursued a design for a complete "ideal city", where a system of canals, locks and mills would be used to clean the streets and remove garbage. The central theme of his architecture was the science of materials, rational structures and perspective. The art of building became his attempt to create harmony between man, his needs and the environment.

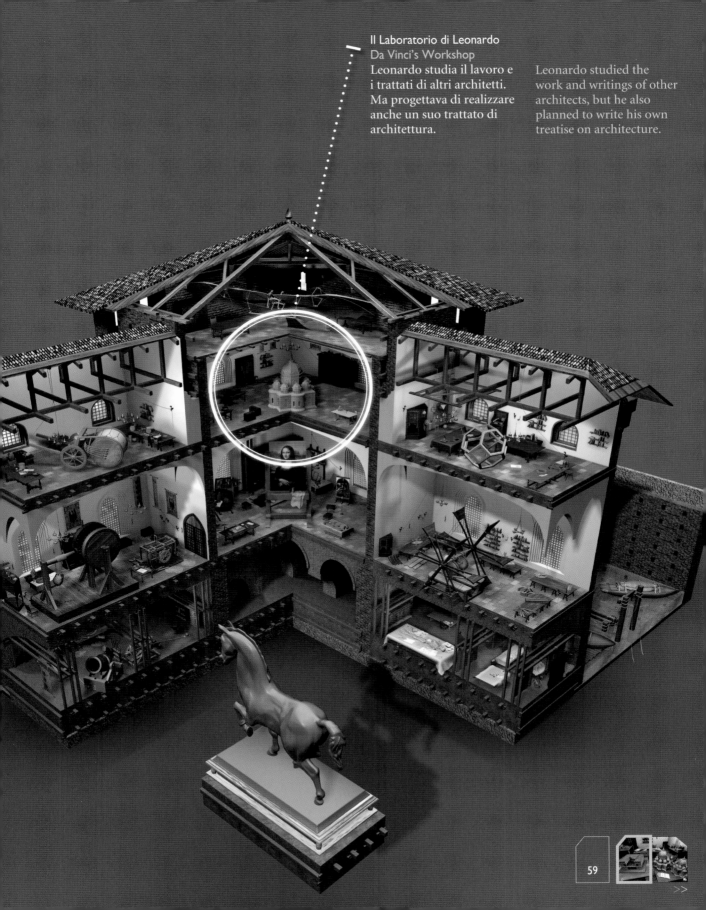

Il Laboratorio di Leonardo
Da Vinci's Workshop
Leonardo studia il lavoro e i trattati di altri architetti. Ma progettava di realizzare anche un suo trattato di architettura.

Leonardo studied the work and writings of other architects, but he also planned to write his own treatise on architecture.

La città ideale
The ideal city

Quando Leonardo arriva a Milano rimane colpito dal disordine, dalle vie anguste e trafficate e dalla sporcizia che è causa, proprio in quegli anni, di una pestilenza. Comincia allora a pensare a una nuova città che sia più vivibile per la popolazione. Progetta strade larghe, giardini, fontane, ma soprattutto un sistema di canali da utilizzare per il traffico commerciale, per rifornire la città d'acqua da utilizzare nelle case, per muovere le pale dei mulini, per la pulizia delle strade e lo smaltimento dei rifiuti.

When Leonardo arrived in Milan he was struck by the disorder, by the busy, narrow streets and by the sanitary conditions that, at that very period, were a major factor in the plague epidemic. So he began to think about a new city that would be much better for people to live in. He designed wide streets, gardens and fountains, but above all he planned a system of canals to carry goods, to supply the city with water for the houses, to use as power for mills, to clean the streets and remove the refuse.

Il manoscritto | Manuscript

Nel foglio 16*r* del *Manoscritto B* Leonardo disegna uno scorcio della città con ben in evidenza il canale, la strada sopraelevata per i carri e i portici per i pedoni.

On folio 16*r* of *Manuscript B*, Leonardo drew a view of the city clearly showing the canal, the raised street for vehicles and the gateways for people on foot.

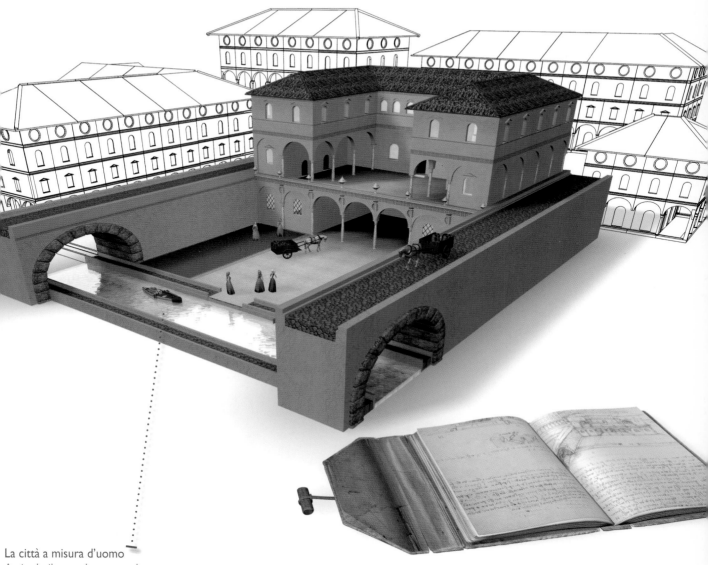

La città a misura d'uomo
A city built on a human scale

La riorganizzazione della città pensata da Leonardo prevede la suddivisione in livelli di tutte le strutture: le strade di passaggio sono sopraelevate, così come le abitazione della popolazione più ricca, mentre i locali di servizio e le zone dei mercati sono a un livello più basso. I rifiuti sono destinati ai canali inferiori, dal momento che in quelli superiori non bisogna gettare nulla.

Leonardo's ideas on reorganizing the city put everything on more than one level: the sidewalks are on an upper level, with the houses of the wealthy, while the areas for shops, services and markets are on a lower level. The garbage is removed via the canals below, because Leonardo didn't want anyone to litter the upper levels.

Le chiese a pianta centrale
Churches with central plan

Nel Rinascimento molti architetti si ispirano ai modelli classici romani. Anche Leonardo, nell'ideare chiese e cattedrali, è affascinato dall'elemento più tipico dell'architettura classica: la pianta centrale. Ovvero la soluzione architettonica di costruire e organizzare una serie di spazi geometricamente complessi e armoniosi intorno a un punto centrale. La ricerca di nuove soluzioni legate agli spazi è la vera essenza dell'architettura di Leonardo, che peraltro precisa che *"nelle chiese non si devono vedere i tetti"* e anche per questo progetta splendide cupole.

In the Renaissance, many architects based their designs on classical Roman buildings. In designing churches and cathedrals, Leonardo was also intrigued by the most typical feature of classical architecture: the central plan. That is to say, the style of architecture that builds and organizes a series of complex yet harmonious geometrical spaces around a central point. The search for styles and methods to use space in a different way is the true essence of Leonardo's architecture. He also thought that *"one should not be able to see the roof"* of a church, which is one reason why he designed such splendid domes.

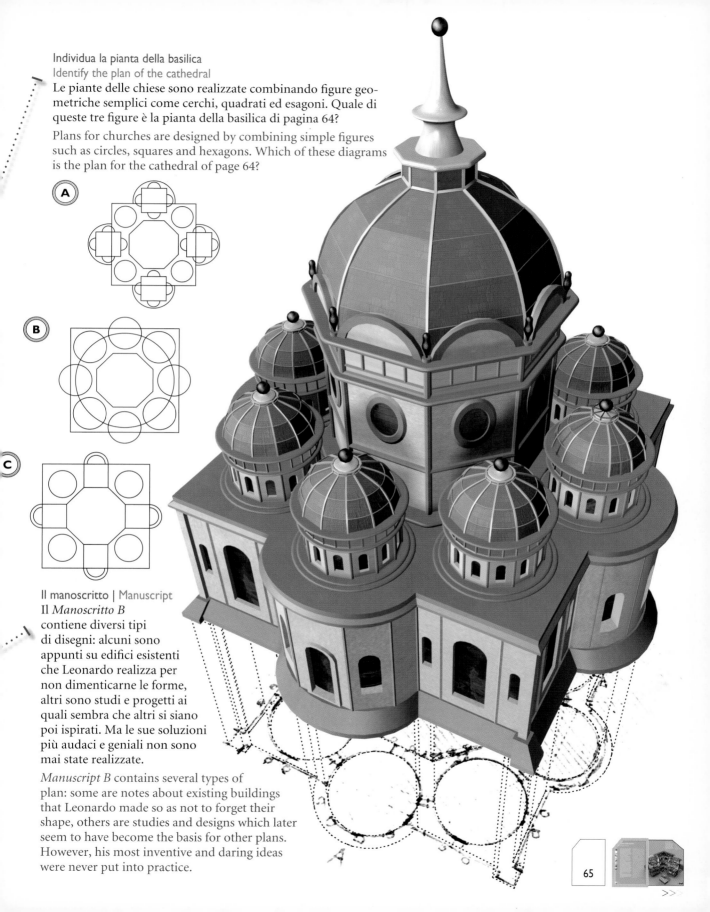

Individua la pianta della basilica
Identify the plan of the cathedral

Le piante delle chiese sono realizzate combinando figure geometriche semplici come cerchi, quadrati ed esagoni. Quale di queste tre figure è la pianta della basilica di pagina 64?

Plans for churches are designed by combining simple figures such as circles, squares and hexagons. Which of these diagrams is the plan for the cathedral of page 64?

A

B

C

Il manoscritto | Manuscript

Il *Manoscritto B* contiene diversi tipi di disegni: alcuni sono appunti su edifici esistenti che Leonardo realizza per non dimenticarne le forme, altri sono studi e progetti ai quali sembra che altri si siano poi ispirati. Ma le sue soluzioni più audaci e geniali non sono mai state realizzate.

Manuscript B contains several types of plan: some are notes about existing buildings that Leonardo made so as not to forget their shape, others are studies and designs which later seem to have become the basis for other plans. However, his most inventive and daring ideas were never put into practice.

>>

Stanza della musica
Music room

Tra le attività meno note e studiate di Leonardo c'è quella di musicista. Invece, analizzando attentamente alcuni dei suoi disegni e scritti possiamo affermare con certezza che Leonardo sia stato una grande amante della musica, fino a definirla nel suo *Trattato di Pittura* un'arte seconda solo alla pittura.

Lui stesso era un abile musicista e viene anche ricordato come uno straordinario suonatore di lira, accompagnato dalla quale cantava "divinamente" (come scrive Vasari), improvvisando per intrattenere i sovrani dell'epoca.

Leonardo ha studiato lo sviluppo di particolari strumenti musicali e ci ha lasciato diversi progetti, purtroppo poco dettagliati, di strumenti del tutto innovativi: è il caso della poco conosciuta ma interessantissima piano-viola che troverai nelle pagine seguenti. In questi congegni musicali (tamburi, viole, strumenti a fiato e in parte automatici) Leonardo svela tutta la propria genialità, inventando originali sistemi meccanici e mettendo a punto soluzioni del tutto inedite.

Il perché Leonardo non sia stato studiato approfonditamente dal suo "lato musicale" è un piccolo mistero, che nelle prossime pagine ti sarà in parte svelato.

Amongst the less known and less researched aspects of Leonardo are his activities as a musician. But if we examine some of his writings and drawings carefully, we can say with certainty that Leonardo was a great music lover: in his Treatise on Painting he even stated that it was an art second only to painting itself.

He was a skillful musician and it is recorded that he played the lyre with great mastery, accompanying his own "divine" singing (as Vasari put it), improvising music to entertain the rulers of his day. Leonardo studied the development of particular musical instruments and left a number of designs for extremely innovative instruments. Unfortunately they are not very detailed, as is the case with the little known but very interesting piano-viola that you can see later in this chapter. In these musical instruments (drums, violas, wind instruments and some partly automated instruments), Leonardo displays the huge extent of his creativity, inventing original mechanical devices and improvements that had never been seen before.

Why Leonardo's "musical side" has not been studied with more attention is something of a mystery, which will be partly revealed to you in this chapter.

Il Laboratorio di Leonardo
Da Vinci's Workshop

Alla musica è dedicato un piano
alto del laboratorio fantastico.
Durante le rappresentazioni
di corte la musica ricopriva un
ruolo fondamentale, e lo stesso
Leonardo talvolta si dilettava a
suonare la lira.

A whole section of the upper
floor of the fantastic workshop
is dedicated to music. Music
played an essential role in the
entertainment for the court and
Leonardo himself sometimes
delighted in playing the lyre at
these performances.

La lira d'argento suonata per Ludovico il Moro
The silver lyre played for Ludovico the Moor

Nella sua lettera a Ludovico il Moro Leonardo scrive:

"Avendo, Signore mio illustrissimo, visto e considerato armai a sufficienza, le prove di tutti coloro che si reputano maestri e fabbricatori di strumenti bellici, e che le invenzioni e operazioni di detti strumenti non sono per niente aliene dal comune uso, mi forzerò, non derogando a nessun altro, di farmi intendere da vostra eccellenza, aprendo ad ella i miei segreti, e offrendoglieli a suo piacimento, in tempi opportuni, per operare con effetto"...

In his letter to Ludovico the Moor, Leonardo wrote:

"Your Most illustrious Lordship, now that I have sufficiently considered the experiments of all those who claim to be masters and makers of instruments of war, and [seeing] that the inventions and operations of those instruments are nothing at all out of the ordinary, I endeavor to put myself forward (though not criticizing anyone else) to be heard by Your Excellency, and will reveal to you my secrets, offering them to you as you would desire, to be used effectively at the right moment"...

Cod. Atl., f. 1082r
La "brutta copia" della lettera al duca di Milano
The rough draft of the letter to the Duke of Milan

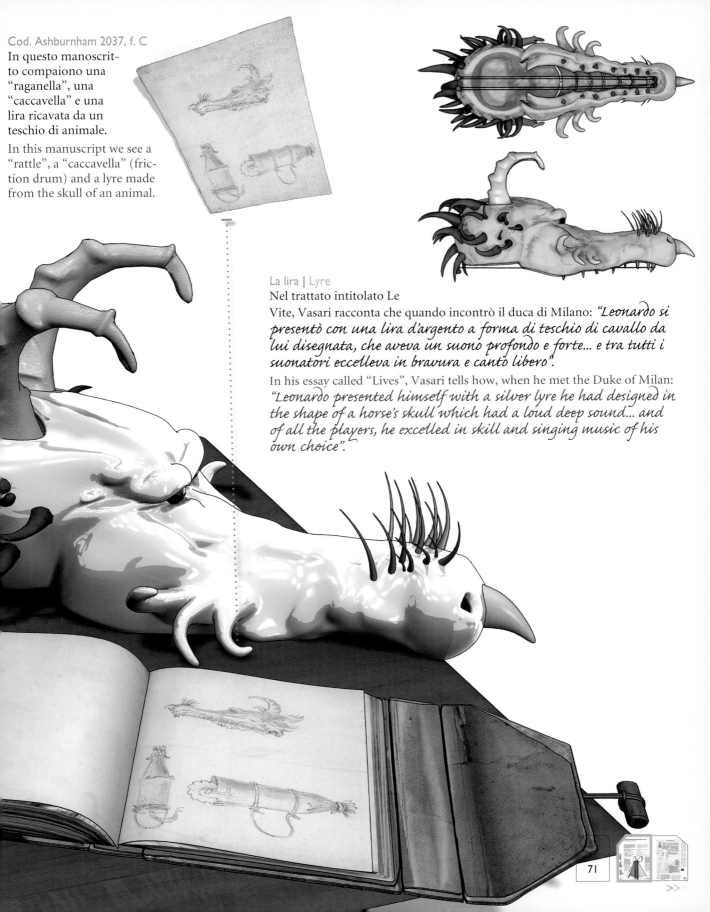

Cod. Ashburnham 2037, f. C

In questo manoscritto compaiono una "raganella", una "caccavella" e una lira ricavata da un teschio di animale.

In this manuscript we see a "rattle", a "caccavella" (friction drum) and a lyre made from the skull of an animal.

La lira | Lyre

Nel trattato intitolato Le Vite, Vasari racconta che quando incontrò il duca di Milano: *"Leonardo si presentò con una lira d'argento a forma di teschio di cavallo da lui disegnata, che aveva un suono profondo e forte... e tra tutti i suonatori eccelleva in bravura e canto libero".*

In his essay called "Lives", Vasari tells how, when he met the Duke of Milan: *"Leonardo presented himself with a silver lyre he had designed in the shape of a horse's skull which had a loud deep sound... and of all the players, he excelled in skill and singing music of his own choice".*

Un foglio interamente dedicato alla musica
An entire page on music

In questa pagina del *Codice Madrid* Leonardo disegna progetti riguardanti strumenti musicali, corredati di testi che chiariscono le idee appena abbozzate a penna.

On this page of the *Codex Madrid*, Leonardo has drawn plans for musical instruments, accompanied by written explanations of his roughly penned sketches.

Riconosci quali sono i progetti presenti nel manoscritto?
- ① **tromba a doppio mantice**
- ○ organo con canne di carta
- ○ organetto
- ○ disegno di canne per organo
- ○ abbozzo di suonatore
- ○ archetto meccanico

Can you identify the drawings in the manuscript?
- ① **trumpet with pair of bellows**
- ○ organ with paper "reeds"
- ○ small organ
- ○ drawing of reeds for an organ
- ○ sketch of a musician
- ○ Mechanical bow

Come funziona
How it works

Seguendo le indicazioni di Leonardo il suonatore inserisce nel cerchiello il proprio gomito e lo muove come in una moderna fisarmonica. I due mantici si muovono alternativamente come illustrato in A-B-C.

According to Leonardo's indications, the musician has to put his elbow into the small ring and move it as he would with a modern accordion. The bellows move alternately as shown in A-B-C.

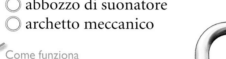

Il doppio mantice
The dobble mantex

Il segreto di questo strumento è il doppio mantice che, azionato dal gomito del musicista, produce un suono continuo, come Leonardo stesso scrive: "*e così fia il vento continuo*".

The secret of this instrument is the pair of bellows. The movement of the musician's elbow works the bellows, which then produce a continuous sound. Leonardo himself wrote: "*and so the air blows continuously.*"

72

<<

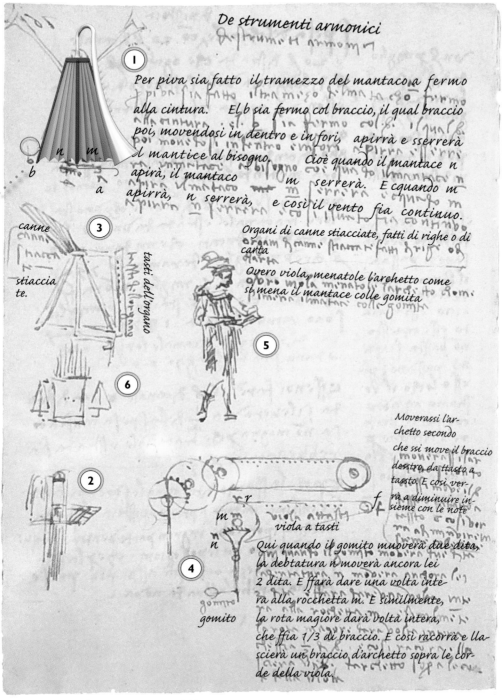

De strumenti armonici

1 Per piva sia fatto il tramezzo del mantaco a fermo alla cintura. El b sia fermo col braccio, il qual braccio poi, movendosi in dentro e in fori, apirrà e sserrerà il mantice al bisogno. Cioè quando il mantace n apirà, il mantaco m serrerà. E cquando m apirrà, n serrerà, e così il vento fia continuo.

Organi di canne stiacciate, fatti di righe o di carta

Overo viola, menatole l'archetto come si mena il mantace colle gomita

3

canne

stiacciate.

tasti dell'organo

5

Moverassi l'archetto secondo che ssi move il braccio desstro, da ttasto a tassto. E così verrà a diminuire insieme con le note

6

2

4

m

n

viola a tasti

Qui quando il gomito muoverà due dita, la debtatura n moverà ancora lei 2 dita. E ffarà dare una volta intera alla rocchetta m. E similmente, la rota magiore darà voltà intera, che ffia 1/3 di braccio. E così racorrà e llascierà un braccio d'archetto sopra lè corde della viola.

gomito

Of harmonic instruments.

The partition of bellows a shall be secured at the belt and it functions as a bagpipe. b is fixed to the arm, which arm moving afterwards in and out, will open and shut the bellows according to need. That is, when bellows n opens, bellows m closes. And when m opens, n closes, and thus the wind will be continuous.

Organs with flattened pipes, made out of boards or paper.

Or a viola, where the bow is drawn with the elbow, like the bellows.

The bow will move according to the motion of the right arm, from key to key. And in this way, it will diminish together with the notes.

Here, when the elbow moves two fingers, the teeth n will also move 2 fingers. And the teeth will turn pinion m one entire revolution.

Likewise, the major wheel will also turn one entire revolution, which will be 1/3 braccio.

And so it will collect and release one braccio of bow upon the strings of the viola.

Archetto meccanico
Mechanical bow

74 >>>

La scrittura inversa | Mirror writing

Qui a lato, il foglio 76r del *Codice Madrid II* e, sopra, il foglio allo specchio con le trascrizioni. Leonardo scriveva in maniera inversa non per celare segreti ma perché, da mancino, gli sembrava il modo più naturale per non coprire i testi con la mano.

Alongside, on folio 76r of the *Codex Madrid II*, and above, the transcriptions added. Leonardo wrote from right to left not to hide his secrets, but because he was left-handed and it seemed the most natural way to avoid his hand covering what he was writing.

L'archetto meccanico
Mechanical bow

Sul foglio *76r* del *Codice Madrid* Leonardo disegna più di uno strumento, tra cui un organo con canne di carta e una cornamusa con mantici. Un meccanismo interessante è il disegno di un archetto meccanico mosso dal gomito del suonatore.

"Moverassi l'archetto secondo che ssi move il braccio desstro..."

Nel laboratorio Leonardo, con l'aiuto dei suoi assistenti, molto probabilmente costruiva anche piccoli modelli di studio, per testare le sue invenzioni.

On page *76r* of the *Codex Madrid* Leonardo drew several instruments, including an organ with paper "reeds" and bagpipes with bellows. An interesting device is the one in the drawing of a mechanical bow operated by the musician's elbow.

"The movement of the bow will depend on the movement of the right arm..."

In his workshop Leonardo, helped by his assistants, most probably also built small test models to try out his inventions.

Come funziona | How it works

Questo meccanismo, posto all'interno di uno strumento musicale, permette al suonatore di azionare il crine di cavallo col movimento del gomito. La piccola ruota dentata "moltiplica" la velocità impressa dal musicista all'archetto, che così si muove più rapidamente.

This mechanism, placed inside a musical instrument, enables the player to work the horsehair bow by moving his elbow. The small toothed wheel "multiplies" the speed the musician gives to the bow so that it moves more quickly.

In questo punto il musicista aziona la leva col gomito.

Here is where the musician uses his elbow to operate the lever.

Soluzioni | Answers
La sequenza corretta è 1, 3, 2, 4
The right order is 1, 3, 2, 4

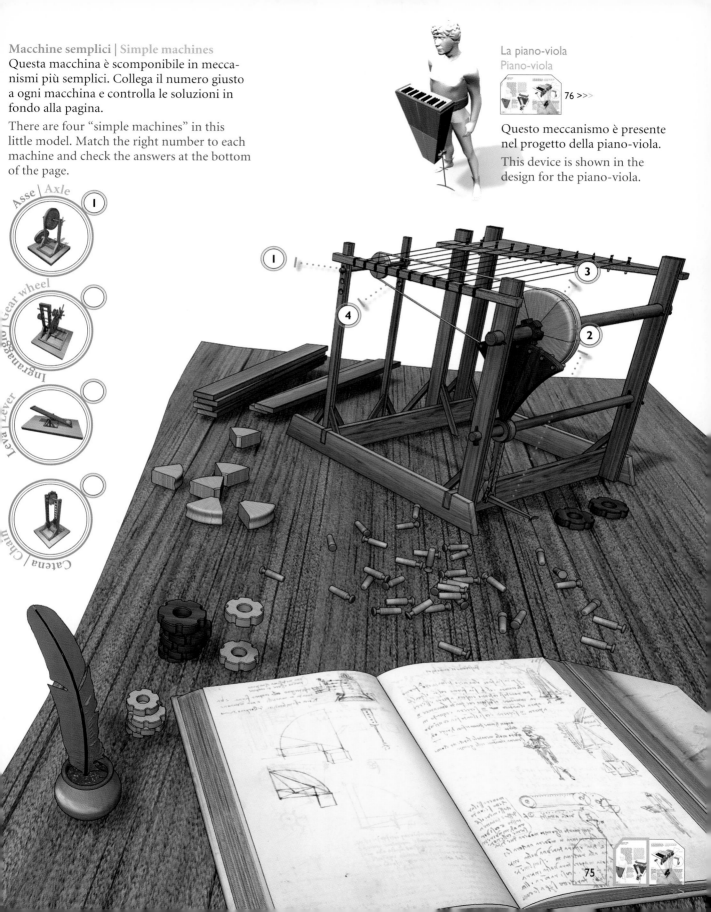

Macchine semplici | Simple machines

Questa macchina è scomponibile in meccanismi più semplici. Collega il numero giusto a ogni macchina e controlla le soluzioni in fondo alla pagina.

There are four "simple machines" in this little model. Match the right number to each machine and check the answers at the bottom of the page.

Asse | Axle

Ingranaggio | Gear wheel

Leva | Lever

Catena | Chain

La piano-viola
Piano-viola

76 >>>

Questo meccanismo è presente nel progetto della piano-viola.

This device is shown in the design for the piano-viola.

La piano-viola
Piano-viola

Il foglio del *Codice Atlantico* nella pagina seguente mostra un misterioso intreccio di meccanismi: si tratta del progetto di strumento più interessante di Leonardo. Purtroppo, il manoscritto originale è stato tagliato e una parte è andata perduta. Per questo motivo capire come lo strumento funzionasse realmente è un'impresa ardua e bisogna ricorrere a delle supposizioni. Si tratta di un'originale "piano-viola", uno strumento che Leonardo inventò completamente e che non ha simili né alla sua epoca, né ai giorni nostri.

The folio of the *Codex Atlanticus* on the next page shows one of the most interesting, and maybe least known, designs for musical instruments. Unfortunately, the original manuscript has been cut and part has been lost. That's why it's hard to understand how the instrument really worked and it's necessary to extrapolate ideas from his notes. The machine is an original "piano-viola", an instrument that Leonardo invented. There has never been anything else like it, from his time to our own.

Come funziona
How it works

Questa leva, mossa dal piede del musicista, aziona un complicato meccanismo che mette in moto a sua volta il crine di cavallo sul quale, come nei violini, vengono sfregate le corde.

This pedal, worked by the musician's foot, sets off a complicated mechanism that in turn operates the horsehair bow that is drawn across the strings (as in a violin).

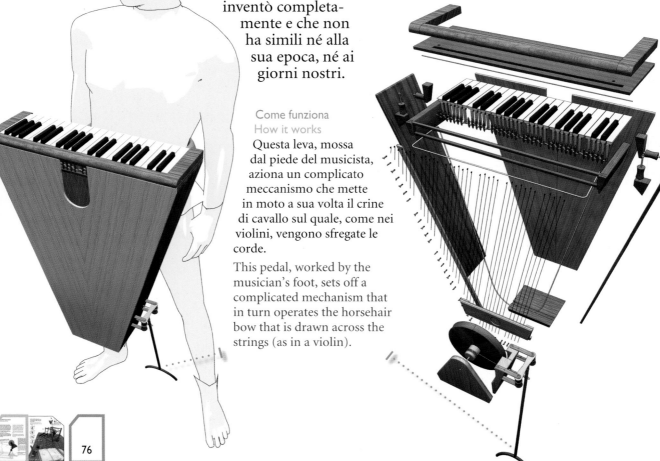

Cosa succede quando il musicista preme un tasto?
Un complesso sistema d'ingranaggi fa in modo che la corda corrispondente al tasto si avvicini al crine di cavallo in movimento, emettendo così un suono simile a quello prodotto da un violino.

What happens when the musician presses a key?
A complicated system of gears forces the string that corresponds to the key closer to the moving bow, which produces a sound similar to the sound of a violin.

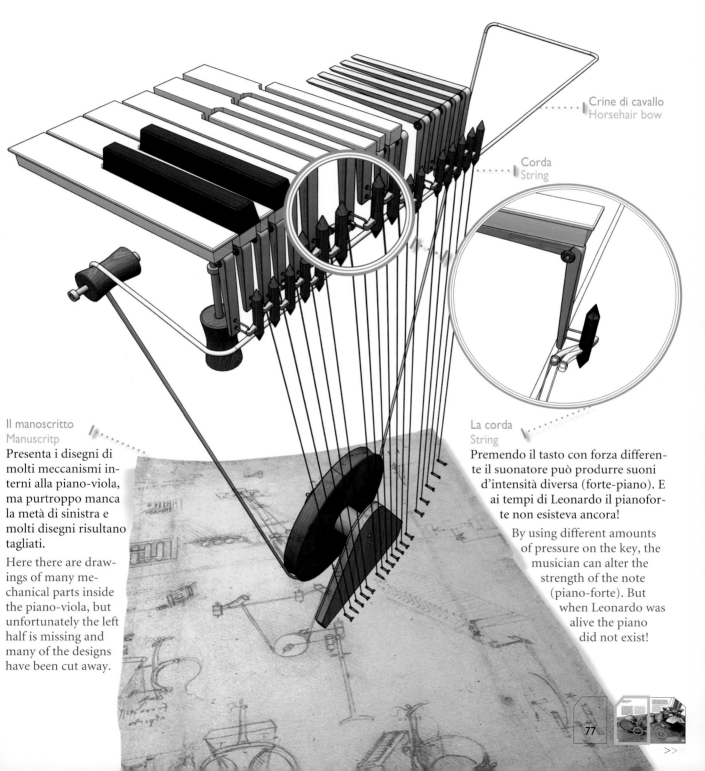

Crine di cavallo
Horsehair bow

Corda
String

Il manoscritto
Manuscritp
Presenta i disegni di molti meccanismi interni alla piano-viola, ma purtroppo manca la metà di sinistra e molti disegni risultano tagliati.

Here there are drawings of many mechanical parts inside the piano-viola, but unfortunately the left half is missing and many of the designs have been cut away.

La corda
String
Premendo il tasto con forza differente il suonatore può produrre suoni d'intensità diversa (forte-piano). E ai tempi di Leonardo il pianoforte non esisteva ancora!

By using different amounts of pressure on the key, the musician can alter the strength of the note (piano-forte). But when Leonardo was alive the piano did not exist!

Il tamburo militare
Military drum

Questo tamburo può essere utilizzato in circostanze diverse. Durante un corteo dava il ritmo alla parata lungo le vie della città, mentre in battaglia scandiva il ritmo delle azioni dei soldati. Il rombo prodotto da più tamburi poteva anche intimidire il nemico. Il ritmo del tamburo è programmabile regolando i piccoli pioli inseriti nei due grandi rulli anteriori, come in un carillon.

This drum can be used on many occasions. In a parade, it set the pace for the procession through the streets of the city. In a battle, it beat time for the soldiers' actions. The combined rumble of a lot of drums could also frighten the enemy. The rhythm can be programmed by using the little pegs in the two large rollers in back, as in a carillon.

Come funzionava il tamburo? | How did the drum work?

In uno strumento apparentemente semplice Leonardo riesce a infondere il suo tocco: dovremmo chiamare questo oggetto "tamburo programmabile", in quanto può impostare il ritmo spostando i pioli presenti sui grandi rulli. Quando il tamburo viene trainato, le ruote trasmettono il loro moto ai rulli e ai pioli che mettono in movimento le aste laterali che battono la tela.

Leonardo managed to put his own touch on an instrument that appears to be simple: this machine ought to be called a "programmable drum" because the rhythm can be set by moving the pegs on the large rollers. When the drum is pulled along, the wheels transmit their motion to the rollers and pegs and this operates the drumsticks on the sides, which in turn beat on the skin of the drum.

Draft and final copy

Nel *Codice Atlantico* sono presenti due disegni relativi a questo progetto. Il primo (f. 877*r*) è uno schizzo veloce realizzato a penna, dove Leonardo inventa e perfeziona i meccanismi. Il secondo è una sanguigna (f. 837*r*) e mostra il tamburo definitivo.

In the *Codex Atlanticus* there are two drawings relating to this design. The first (f. 877*r*) is a rapid ink sketch, in which Leonardo invented and perfected the mechanisms. The second is a drawing in sanguine (f. 837*r*) showing the finished drum.

Piccoli strumenti a percussione
Small percussion instruments

Tra gli strumenti progettati da Leonardo i tamburi sono i più numerosi. Questi infatti erano molto richiesti per le feste di corte, le sfilate e i tornei, ma potevano essere impiegati anche durante azioni militari e in battaglia.

Leonardo progetta oggetti in grado di produrre suoni rullanti (ovvero con molti colpi ravvicinati in sequenza), o capaci di modulare il suono emesso (possono modificare le tonalità), attraverso particolari meccanismi semplici da utilizzare.

Leonardo designed more drums than any other musical instrument. They were very much in demand for celebrations at court, processions and tournaments, but they could also be used for military purposes and in battle.

Leonardo designed objects able to produce rumbling noises (lots of drum strokes following one another very quickly) and some that could alter the sound they made (change the tone) thanks to special mechanisms that were very easy to use.

Tamburo a manovella
Hand-cranked drum

Per produrre un ritmo continuo è sufficiente azionare la manovella di metallo.
Così facendo, una stanghetta di metallo
viene ripetutamente alzata e lasciata ca-
dere con forza su una parete del tamburo
stesso. Il suono prodotto è molto secco e
forte, e il suonatore può anche decidere
di variare il timbro dei battiti, aprendo
o chiudendo a piacere una porta mobile
sulla cassa del tamburo.

All you have to do to produce a continuous rhythm is operate the metal handle. In
this way, a metal stick is repeatedly lifted
and dropped heavily against one wall of
the drum. The sound it makes is very
sharp and loud, and the drummer can
also decide to vary the tone by opening
or closing a little door in the casing of the
drum.

Tamburo multiplo a manovella
Multiple hand-cranked drum

Simile al precedente, è arricchito dalla
possibilità di emettere ritmi più complessi. La dentatura degli ingranaggi che
alzano le aste battenti può essere diversa
per ciascuno, producendo così un ritmo
composto. Inoltre, le pareti del tamburo
sulle quali queste battono
possono avere spessori ed
essenze di legno diverse, producendo suoni del tutto diversi
tra loro.

Similar to the previous one,
this drum has the added
possibility of more complex
rhythms. The gear teeth
that lift the drumsticks
can be different in each
drum so that they produce
a compound rhythm. In
addition, the walls of the
drum have different
thicknesses and can
produce
varied
sounds.

Stanza di idraulica e nautica
Water power and navigation room

L'acqua è sempre stata sinonimo di vita per l'uomo (oltre a essere fonte di energia). E un elemento tanto importante è stato trattato adeguatamente da Leonardo-scienziato. Se ne occupa sotto tutti i punti di vista. Ne studia il moto, così come il corso dei fiumi. Disegna canali, così come porte di conche e portelli di chiuse. Progetta enormi macchine per scavare canali artificiali. Arriva persino a concepirne uno navigabile per collegare la città di Firenze al mare e per irrigare campi coltivabili. Riattivando un antico canale romano, progetta di bonificare le paludi Pontine. Immagina di allagare una parte di una valle a fini di difesa dagli attacchi nemici. Tra le sue carte si trovano rilievi di fiumi e progetti per sbarrarli. Le macchine per il sollevamento dell'acqua ricorrono in moltissimi disegni; migliora la vite di Archimede (grossa vite all'interno di un tubo, usata per sollevare un liquido) con complessi sistemi e studia una super-turbina per aspirare l'acqua, della quale peraltro analizza e disegna i vortici.
Leonardo progetta poi moltissimi tipi diversi d'imbarcazioni, da quelle per dragare i canali, sino a efficacissime corazzate con molti cannoni e a un primitivo sottomarino. Studia la forma dei pesci e pensa anche di analizzare la forma delle carene delle navi in maniera specifica nell'incompiuto *Libro della curvità de' fianchi delli navili*.

Water has always been synonymous with life for man (as well as being a source of energy). This essential element was treated with great importance by Leonardo, the scientist. He studied it from every possible point of view. He studied the movement of water and the courses taken by rivers. He designed canals, locks and basins for shipping. He invented enormous machines for digging artificial canals. He even conceived a canal for ships to link the city of Florence with the sea and irrigate the crops in the fields. By reopening an ancient Roman canal, he planned to drain the Pontine marshes. He imagined flooding part of a valley as a defense against enemy attack. Amongst his documents there are surveys of rivers and plans to build dams across them. Water-lifting machines are repeated over and over again in many of his drawings; he improved the Archimedes screw (an enormous screw inside a tube that was used to lift liquids). He added various complex systems and attempted a super-turbine to suck in water, and studied and drew the way water swirls. Leonardo designed numerous different kinds of water transport, from those used to dredge canals to efficient armored ships with many cannons. He even designed a submarine! He studied the shape of fish and thought of a special way of analyzing the form of ships' hulls, writing about it in his unfinished *Book on the curvature of ships' sides*.

Il Laboratorio di Leonardo
Da Vinci's Workshop
Qui troviamo macchine azionate dall'acqua o destinate a controllarla. Oltre a barche, pompe e dispositivi per canali, Leonardo pensa anche a un salvagente e a come respirare sott'acqua.

Here are plans for machines operated by water or used to control it. As well as boats, pumps and equipment for canals, Leonardo also thought about lifevests and how to breathe under water.

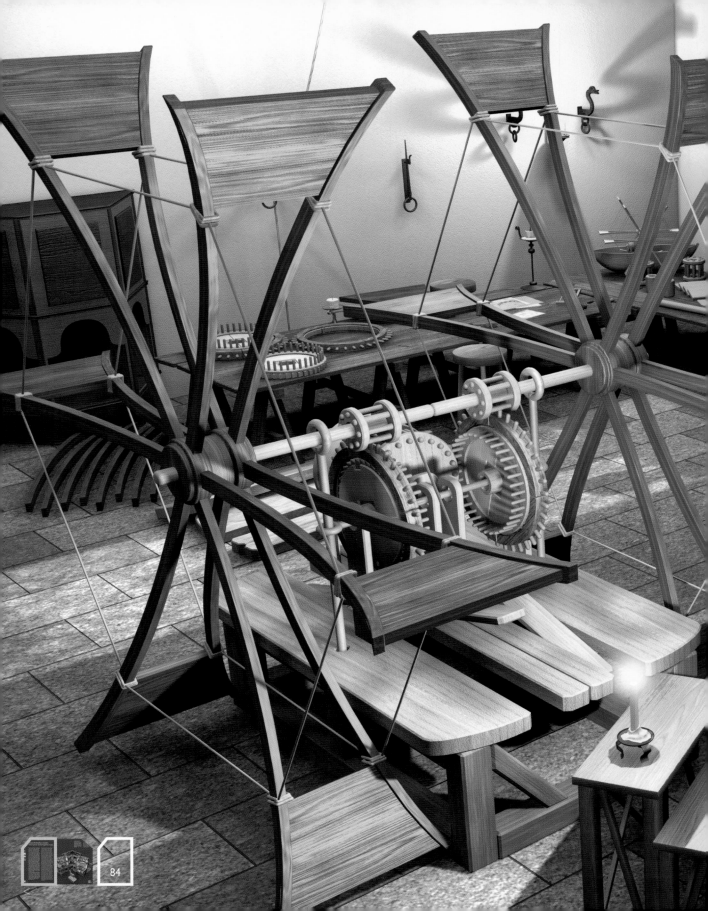

La barca a pale a pedali
Pedal-operated paddle boat

Leonardo progetta una barca che utilizza una struttura a pale in sostituzione dei remi. Il meccanismo è simile a quello dei mulini ad acqua, solo che, in questi ultimi, è l'acqua a far muovere le pale mentre nella barca è la rotazione delle pale che permette l'avanzamento tramite la loro spinta sull'acqua. Il particolare più interessante di questa barca consiste nel gruppo di meccanismi centrale che prende spunto dalla macchina a moto alternato, con pale azionate non da manovelle ma da pedali.

Leonardo designed a boat that used paddles instead of oars. The mechanism is similar to that used in water wheels, only in water wheels it is the water that moves the paddles; in the boat, it is the turning paddles that push the water and allow the boat to move along. The most interesting feature of this boat is the central group of mechanisms based on the reciprocating motion machine, with paddles that are operated not by levers, but by pedals.

Macchina a moto alternato
Reciprocating motion machine

50 >>>

Il manoscritto | Manuscript
Il foglio 945r del *Codice Atlantico* mostra solo il "motore" della barca, mentre le pale sono solo accennate.

Folio 945r of the *Codex Atlanticus* shows only the boat's "engine". The paddles are barely indicated.

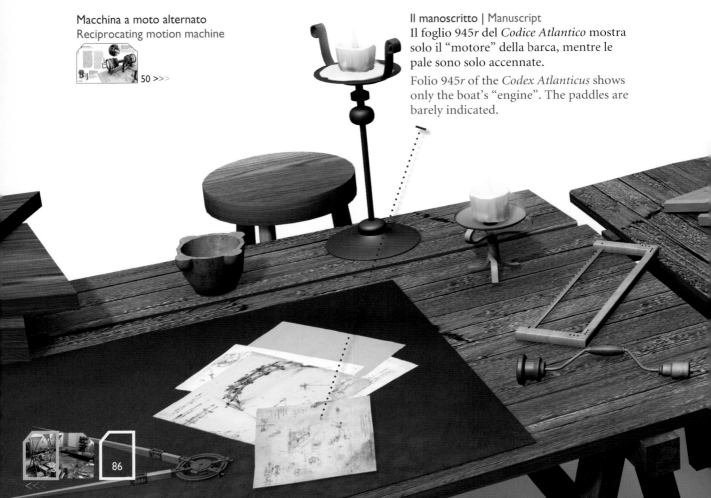

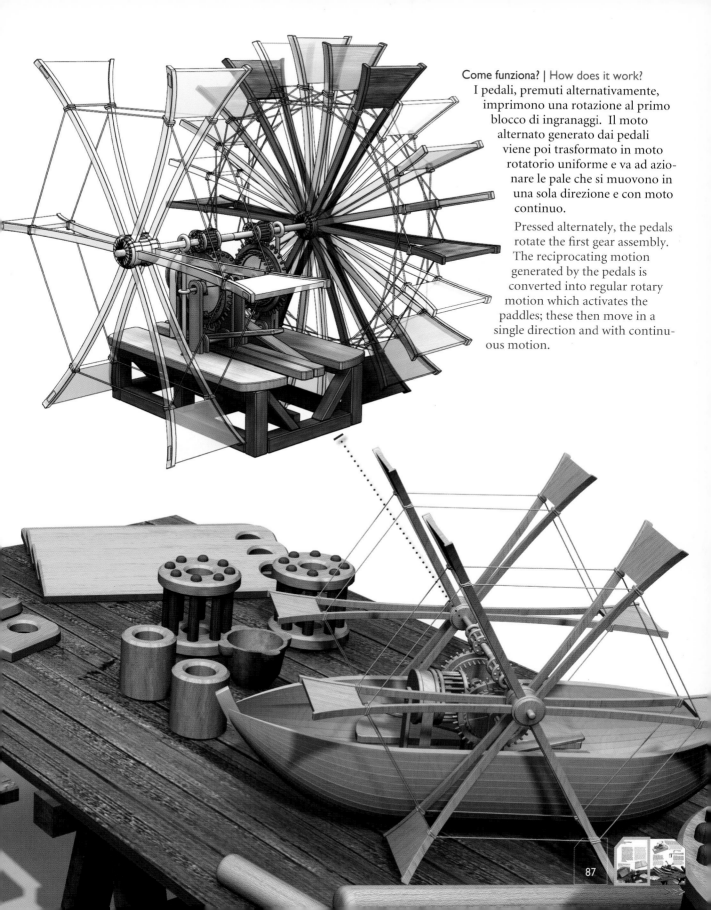

Come funziona? | How does it work?

I pedali, premuti alternativamente, imprimono una rotazione al primo blocco di ingranaggi. Il moto alternato generato dai pedali viene poi trasformato in moto rotatorio uniforme e va ad azionare le pale che si muovono in una sola direzione e con moto continuo.

Pressed alternately, the pedals rotate the first gear assembly. The reciprocating motion generated by the pedals is converted into regular rotary motion which activates the paddles; these then move in a single direction and with continuous motion.

La barca cavafango
Dredger

Leonardo riprende una macchina progettata dall'architetto suo contemporaneo Francesco di Giorgio, di cui mantiene l'idea ma migliora i meccanismi e la stabilità. Leonardo disegna due scafi invece di uno e al centro colloca quattro braccia scavatrici, che permettono di togliere il fango e i detriti che si accumulano periodicamente sul letto di fiumi e canali. Particolarmente interessante è il sistema di traino. Al perno centrale della struttura sulla barca è collegata una fune; quando il "pilota" aziona la manovella e fa girare le pale, la barca contemporaneamente avanza lungo il corso d'acqua.

Leonardo based his machine on one designed by the architect Francesco di Giorgio, who lived at the same time as he did. Leonardo used the same idea but improved the stability and the mechanisms. Leonardo designed two hulls instead of one and put four digging arms in the middle, which were used to remove the mud. The dredging system is especially interesting. A rope is attached to the central pivot of the boat's structure; as the pilot operates the crank handle and makes the scoops turn, the boat moves through the water at the same time.

Il manoscritto | Manuscript
Questo progetto è contenuto nel foglio 75v del *Manoscritto E*, oggi custodito presso l'Istituto di Francia di Parigi.

This design is found on folio 75v of *Manuscript E*, now kept in the Institut de France in Paris.

Come funziona? | How it works?

Girando la manovella, si aziona la ruota centrale a cui sono collegate le quattro pale che rimuovono dal fondale il fango in eccesso e lo scaricano sulla barchetta posta tra i due scafi. Contemporaneamente, una fune che collega la ruota centrale a un argine del fiume, arrotolandosi, permette l'avanzamento automatico dell'imbarcazione.

Turning the crank handle rotates the central wheel connected to the four scoops that remove excess mud from the bottom of the river and empty it out into the little boat between the two hulls. At the same time, a rope connecting the central wheel to one of the river banks turns, pulling the boat through the water.

Di Giorgio

Leonardo

La struttura | The structure

I due scafi, che richiamano la concezione del catamarano, garantiscono una maggiore stabilità durante le operazioni di scavo. Nello scafo centrale, a poppa, finisce il materiale prelevato; questo scafo, quando si riempie, viene sganciato e sostituito con uno vuoto.

The two hulls, which may remind you of a catamaran, ensure greater stability during dredging operations. The material dragged from the bottom ends up in the central hull in back of the dredger; when this is full it is untied and replaced by an empty boat.

Le pale | Scoops

Leonardo migliora anche la forma delle pale che scavano e prelevano il materiale dal fondale. Il loro disegno asimmetrico permette di scaricare meglio i detriti nella barca posteriore di quanto non facessero quelle progettate da Francesco di Giorgio.

Leonardo improved the shape of the scoops that dig up the mud dredged from the bottom of the river. The uneven design makes it easier to empty the material into the boat in back than the scoops designed by Francesco di Giorgio.

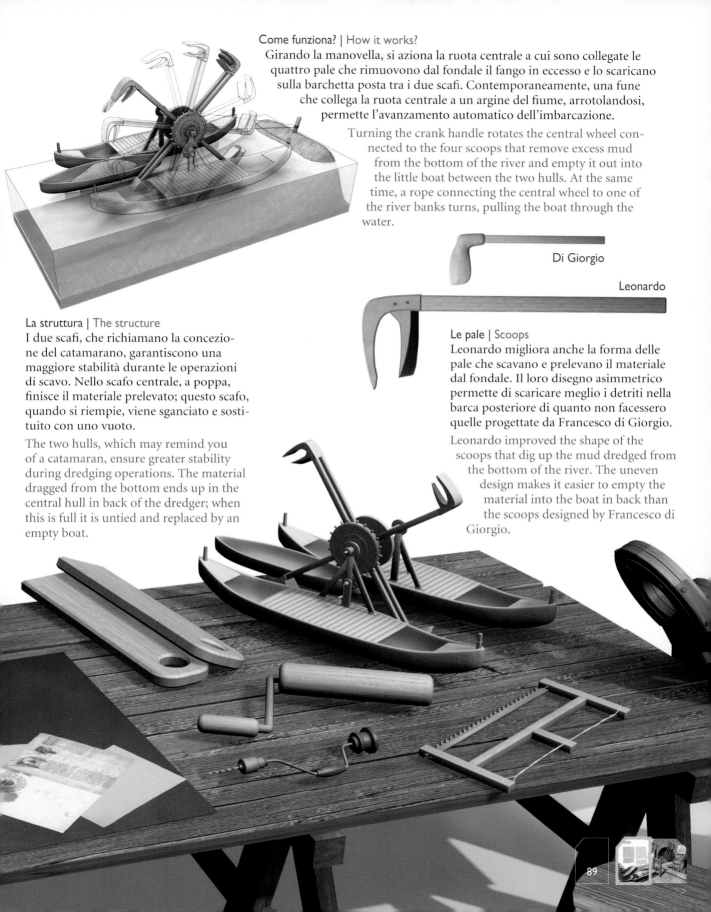

Il sottomarino
The submarine

Il progetto del sottomarino è misterioso: Leonardo non disegna completamente la macchina, ma si limita a delinearne confusamente le parti principali nel foglio 881*r* del *Codice Atlantico*. I disegni sono leggeri e frammentari, forse anche perché Leonardo voleva tenere segreto questo progetto. Probabilmente si rende conto dell'incredibile potenziale di questa macchina nel sabotare e provocare ingenti danni. Lui stesso sul foglio 22*v* del *Codice Hammer* scrive:

"E con questo non pubblico o divolgo per le male nature degli omini, li quali userebbero gli assassinamenti nel fondo de' mari coi navili in fondo e sommergerli insieme con gli omini che vi sono dentro".

The design of the submarine is a mystery: Leonardo didn't draw the whole machine, but just some sketchy plans for the main parts, now on folio 881*r* of the *Codex Atlanticus*. The faint outlines and the lack of any further detail do not mean that he did not study the problems carefully. The reason he chose to leave out these details is that he was aware of the machine's incredible potential for sabotage and creating enormous damage. On folio 22*v* of the *Codex Hammer* he himself wrote:

"And therefore I will not publish or reveal [the details] because men are evil and would kill underwater, with ships at the bottom of the sea, and would submerge them with the men inside them".

Stanza della guerra
War room

Nella storia gli inventori sono sempre stati chiamati a occuparsi di strumenti bellici. Durante il Rinascimento gli "ingegneri" progettavano e realizzavano macchine da guerra sempre più potenti ed efficaci, e i regnanti erano alla continua ricerca dei migliori inventori. Tra questi, naturalmente, non poteva mancare Leonardo. È lui stesso che, presentandosi a Ludovico il Moro, dichiara di essere in grado di realizzare armi innovative.

Nonostante Leonardo ripudiasse la guerra, che definiva *"pazzia bestialissima"*, ci ha lasciato disegni di stupefacenti macchine da offesa: carri falcianti, carri armati, catapulte d'incredibile potenza, ponti d'attacco, lame e lance, nonché nuove tipologie di cannoni. Nel XV secolo, infatti, sui campi di battaglia erano presenti armi azionate dalla polvere da sparo (usata in Europa dal 1267).

Leonardo ama però la vita e la natura. E infatti progetta anche moltissimi sistemi e macchine per la difesa, oltre a "passaggi segreti" per i castelli. Inoltre, si limita a descrivere macchine di cui rivendica la "lealtà", rifiutandosi di divulgare le sue idee relative a strumenti da guerra che funzionino "a tradimento". Infine, a volte inserisce volutamente degli "errori" per rendere le macchine non realizzabili.

Throughout history, inventors have always been called upon to make weapons. In the Renaissance, "engineers" designed and built increasingly powerful and effective war machines and rulers were always on the lookout for the best inventors. Of course, Leonardo could hardly fail to be amongst them. In fact, he presented himself to Ludovico the Moor, boasting that he was able to invent brand new kinds of weapons. Even though Leonardo denounced war, which he called a "truly bestial madness", he left drawings of amazing war machines to be used when attacking: "armored cars" to mow down the enemy, "tanks", incredibly powerful catapults, assault bridges, spears and lances, not to mention new types of cannon. In fact, in the 15th century, weapons fired by gunpowder (which had been known in Europe since 1267) were used on the battlefield.

But Leonardo loved life and nature and he also designed many defensive weapons and protective systems, as well as "secret tunnels" for castles. In addition, he only described machines he claimed to be "loyal", refusing to reveal his ideas for "treacherous" weapons of war. In fact, he sometimes included intentional "errors" so that the machines could not be made.

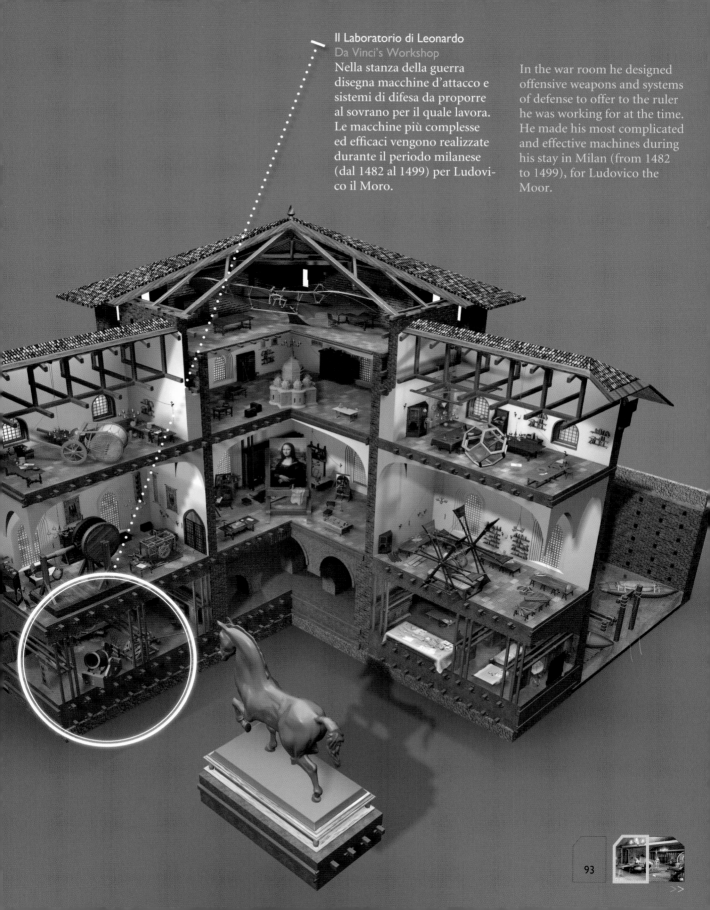

Il Laboratorio di Leonardo
Da Vinci's Workshop

Nella stanza della guerra disegna macchine d'attacco e sistemi di difesa da proporre al sovrano per il quale lavora. Le macchine più complesse ed efficaci vengono realizzate durante il periodo milanese (dal 1482 al 1499) per Ludovico il Moro.

In the war room he designed offensive weapons and systems of defense to offer to the ruler he was working for at the time. He made his most complicated and effective machines during his stay in Milan (from 1482 to 1499), for Ludovico the Moor.

Che cosa c'è dietro questa porta?
What's behind this door?

96 >>>

La catapulta a cucchiaio e a fionda
The spoon and sling-type catapults

Nel foglio del *Codice Atlantico* (140a*r*) sul tavolo, Leonardo disegna due diversi progetti di catapulte. Entrambe vengono azionate da grandi braccia di legno flessibile, le quali, una volta caricate e messe in tensione, lanciano con forza il proiettile di pietra o di metallo verso la fortezza nemica. Il braccio che regge il "cucchiaio" su cui caricare il proiettile è volutamente lungo. Sai spiegare perché?

On the page from the *Codex Atlanticus* (140a*r*) lying on the table, Leonardo drew plans for two different types of catapult. Both are operated by great flexible wooden arms to which tension is applied. When loaded and released, these hurl the rock with great force toward the enemy. The arm with the "spoon" for the missile is made long on purpose. Do you know why?

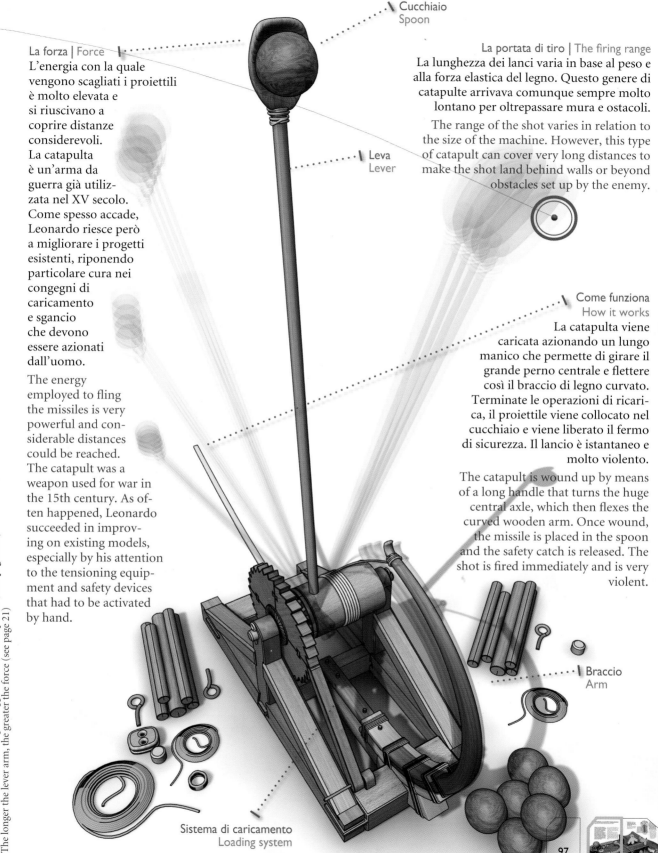

Cucchiaio
Spoon

Soluzioni | Answers
Più il braccio della leva è lungo, maggiore è la forza impressa (vedi pagina 21)
The longer the lever arm, the greater the force (see page 21)

La forza | Force

L'energia con la quale vengono scagliati i proiettili è molto elevata e si riuscivano a coprire distanze considerevoli. La catapulta è un'arma da guerra già utilizzata nel XV secolo. Come spesso accade, Leonardo riesce però a migliorare i progetti esistenti, riponendo particolare cura nei congegni di caricamento e sgancio che devono essere azionati dall'uomo.

The energy employed to fling the missiles is very powerful and considerable distances could be reached. The catapult was a weapon used for war in the 15th century. As often happened, Leonardo succeeded in improving on existing models, especially by his attention to the tensioning equipment and safety devices that had to be activated by hand.

La portata di tiro | The firing range

La lunghezza dei lanci varia in base al peso e alla forza elastica del legno. Questo genere di catapulte arrivava comunque sempre molto lontano per oltrepassare mura e ostacoli.

The range of the shot varies in relation to the size of the machine. However, this type of catapult can cover very long distances to make the shot land behind walls or beyond obstacles set up by the enemy.

Leva
Lever

Come funziona
How it works

La catapulta viene caricata azionando un lungo manico che permette di girare il grande perno centrale e flettere così il braccio di legno curvato. Terminate le operazioni di ricarica, il proiettile viene collocato nel cucchiaio e viene liberato il fermo di sicurezza. Il lancio è istantaneo e molto violento.

The catapult is wound up by means of a long handle that turns the huge central axle, which then flexes the curved wooden arm. Once wound, the missile is placed in the spoon and the safety catch is released. The shot is fired immediately and is very violent.

Braccio
Arm

Sistema di caricamento
Loading system

97

La bombarda con proiettili a frammentazione
Bombard with fragmentation bombs

Il foglio *33r* del *Codice Atlantico* è estremamente chiaro. Probabilmente è uno di quei disegni che Leonardo utilizza per mostrare il progetto a Ludovico il Moro, e quindi è molto curato anche nei particolari.

Nel manoscritto sono presenti due bombarde in azione e il disegno stesso ci spiega come funzionano. La particolarità riguarda i proiettili i quali, una volta esplosi con l'impatto col suolo, si dividono a loro volta in molti altri proiettili più piccoli, che recano più danni nelle file nemiche rispetto a quelli singoli.

Folio *33r* of the *Codex Atlanticus* is extremely clear. It is probably one of the designs Leonardo used to present his idea to Ludovico the Moor, which is why even the details are so carefully drawn.

The manuscript shows two bombards in action and you can see from the drawing how they work. The details show the "bombs" which explode on impact with the ground, releasing a large number of smaller missiles that will inflict more damage on the enemy lines than a single bomb.

Come funziona | How it works

La ghiera dentata, collocata all'interno della struttura di base della bombarda, permette di regolare l'inclinazione del cannone, e quindi la gittata del colpo.

The toothed metal wheel inside the base of the bombard controls the angle of the cannon and therefore the range of the shot.

Fuoco! | Fire!

In un altro foglio del *Codice Atlantico* (158*r*), Leonardo disegna un apparecchio interessante. È un grande "accendino" impiegato sui cannoni per accenderne le micce. Premendo il lato destro la molla si carica. Quando viene rilasciata fa sfregare la pietra focaia sulla sinistra producendo scintille.

On another folio of the *Codex Atlanticus* (158*r*), Leonardo has drawn an interesting gadget. It's a little "cigarette lighter" than can be used on the battlefield to light the fuses of the cannon. Pressing on its right side winds up the spring. When it's released a flint on the left is struck several times, producing sparks.

Le alabarde e le spade
Halberds and swords

I disegni di spade e alabarde presenti in alcune belle pagine del *Manoscritto B* e del *Codice Ashburnham* (che faceva parte dei *Manoscritti A e B*) sono più di cento. Lo scopo di questi strumenti è talvolta più estetico e celebrativo che per un reale impiego in battaglia. Si tratta di armi che possono essere utilizzate come elementi decorativi nelle sale del castello o durante le manifestazioni e nelle parate.

There are more than 100 drawings of swords and halberds amongst the beautiful pages of *Manuscript B* and the *Codex Ashburnham* (which was part of *Manuscripts A* and *B*). Some of these weapons are intended more for ceremonial and artistic purposes than for use in a real battle. These arms could be used as decorations in the halls of a castle or for ceremonial events such as parades.

Disegni di lame | Spears and lances
Tra i manoscritti di Leonardo si trovano anche molti progetti di lance e di lame. Questi strumenti da guerra sono stati disegnati con molta cura e dovevano avere lame affilatissime. Anche il lato estetico era importante: l'aspetto minaccioso dell'arma poteva riuscire a intimidire il nemico.

Leonardo's manuscripts also contain many designs for spears and lances. These weapons were drawn with great care and must have had the finest possible blades. The visual impact was important too: if a weapon looked threatening it would frighten the enemy.

3D

Visione stereoscopica 3D | Stereoscopic 3D view

Attenzione: l'immagine qui sotto è una figura speciale e puoi vedere i cavalieri in 3D! Per osservare i cavalieri in modo tridimensionale devi riuscire a concentrarti solo sulle figure e cercare di sovrapporre, rilassando gli occhi, una coppia di cavalieri tra loro. All'improvviso, tutti i cavalieri ti sembreranno uscire dal foglio di carta.

Pay attention: the picture below is a special kind of image that will let you see the knights in 3D! For it to work you must concentrate only on the knights, relax your eyes and try to get one knight on top of the next. If you succeed all the knights will suddenly seem to stand out from the page.

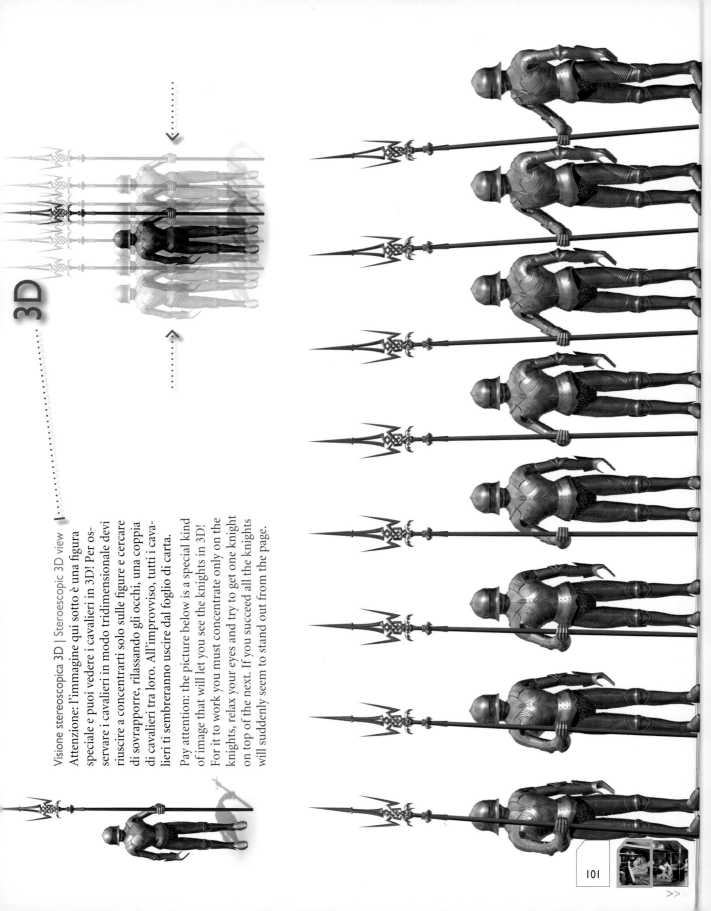

Cosa si nasconde sotto questo panno?
What's hiding under this cloth?

96 >>>

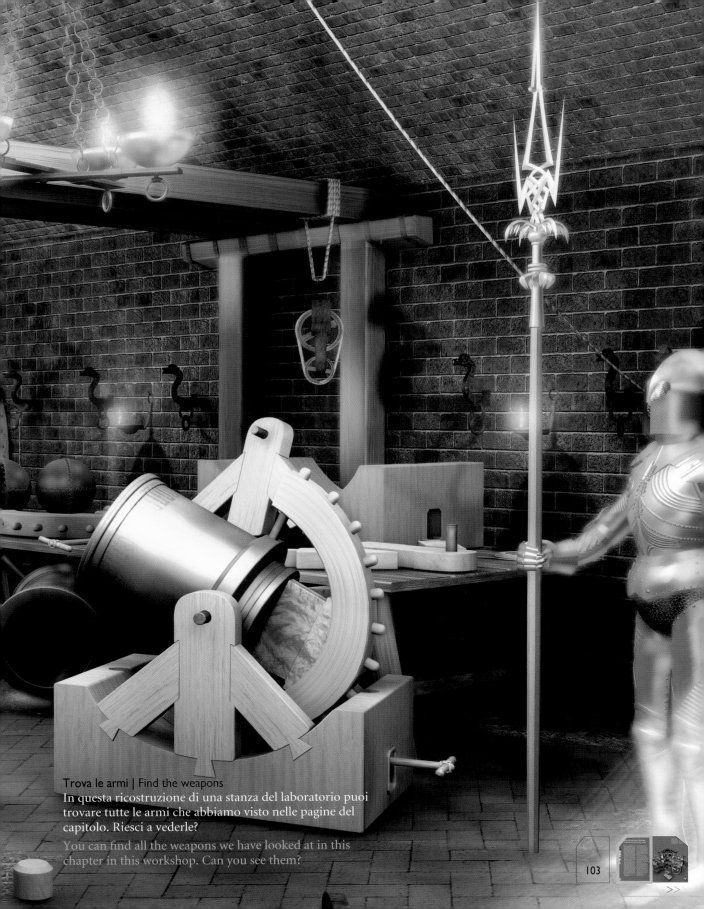

Trova le armi | Find the weapons

In questa ricostruzione di una stanza del laboratorio puoi trovare tutte le armi che abbiamo visto nelle pagine del capitolo. Riesci a vederle?

You can find all the weapons we have looked at in this chapter in this workshop. Can you see them?

Stanza di anatomia e fisiologia
Anatomy and physiology room

Il mondo è per Leonardo un immenso organismo vivente e l'uomo è fatto su modello del mondo. Tra le pagine più affascinanti e conosciute che ci ha lasciato ci sono infatti quelle riguardanti l'anatomia (lo studio di forma e struttura degli organismi e dei loro organi) e la fisiologia (lo studio delle funzioni degli organi). Inizialmente, si dedica allo studio dell'anatomia per formarsi una solida preparazione al fine di utilizzarla nei suoi disegni artistici: *"Se l'artista non ha una esatta cognizione dello scheletro, corre il rischio di collocare fuori sito le ossa e le membra; laddove bozzando prima con linee lo scheletro della figura, può con franchezza disegnare i muscoli ed i panni".*
Poi però il suo studio diviene più approfondito, perché è spinto dal desiderio di comprendere il funzionamento della macchina più meravigliosa di tutte: il corpo umano. Anche in questo campo il Genio di Vinci ha stabilito dei primati: i suoi bellissimi disegni servono infatti non solo a raffigurare, ma spesso anche a spiegare il funzionamento degli organi. Molte delle sue osservazioni sono corrette ed è il primo a farle. Realizza anche degli studi comparativi tra i mammiferi, inaugurando un metodo d'indagine fondamentale ancora oggi.
Con Leonardo inizia la storia della biologia moderna.

For Leonardo the world is an immense living organism and the human body is modeled on the world. Amongst all the work he left us, some of the most intriguing and best known drawings and writings are those on anatomy, which is the study of the form and structure of organisms (living things) and their organs (their individual parts), and physiology (the study of how the organs work).
At first, he studied anatomy as a sound preparation for his artistic work: *"If the artist doesn't know exactly how the skeleton is made he runs the risk of getting the bones and limbs in the wrong place; if he outlines the skeleton first it will be easier for him to draw the muscles and clothes with greater freedom".*
But then he began to look at the subject more closely, because he wanted to understand the workings of the most amazing machine of all: the human body. Here too, Da Vinci's genius set records: his beautiful drawings are not just pictures of the organs, they often explain how they work too. Many of his observations are correct and he was the first person to make them. He also made comparative studies of mammals, establishing a research method that is still essential today.
The history of modern biology started with Leonardo.

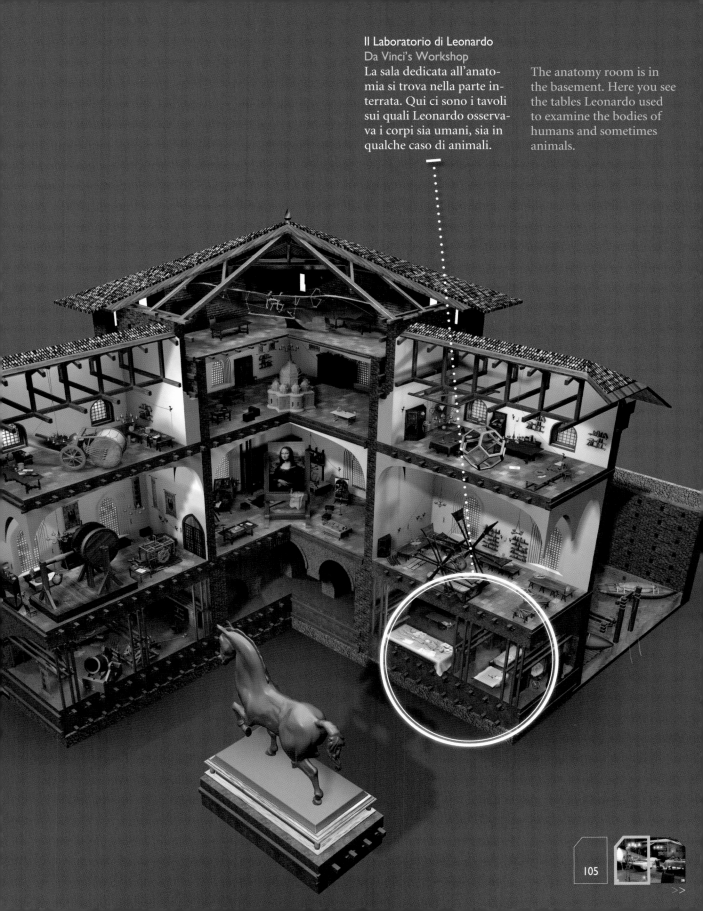

Il Laboratorio di Leonardo
Da Vinci's Workshop

La sala dedicata all'anatomia si trova nella parte interrata. Qui ci sono i tavoli sui quali Leonardo osservava i corpi sia umani, sia in qualche caso di animali.

The anatomy room is in the basement. Here you see the tables Leonardo used to examine the bodies of humans and sometimes animals.

Quali misteri sono celati
dietro questa porta?

What mysterious things
are hidden behind this
door?

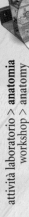

Lo scheletro
Skeleton

Leonardo disegna lo scheletro in modo quasi perfetto. Stabilisce il numero delle vertebre con confronti sulle loro dimensioni. Gli arti sono disegnati in tutte le loro parti. In particolare, si occupa di realizzare confronti tra le varie proporzioni delle varie ossa.

Leonardo drew the skeleton very accurately. He determined the number of vertebrae in relation to their size. He drew every part of the limbs. He was particularly concerned with comparing the various proportions of different bones.

Le ossa del nostro corpo
The bones in your body

110 >>>

Cerca d'imparare i nomi delle ossa e quindi a pagina 110 rispondi coi nomi esatti.

Try to learn what the bones are called, then try to get the right names on page 110.

Tallone
Talus

Tibia
Tibia

Perone
Fibula

Rotula
Patella

Femore
Femur

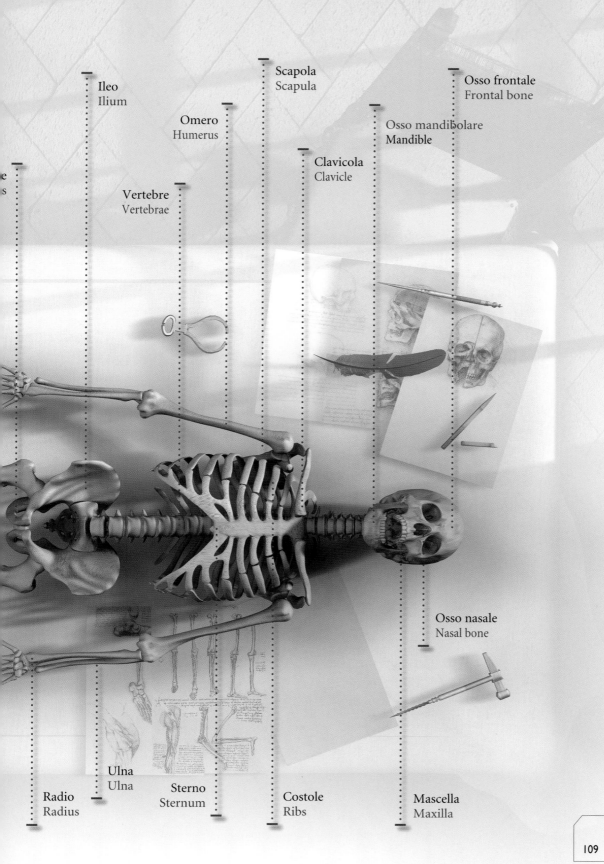

Ileo
Ilium

Scapola
Scapula

Osso frontale
Frontal bone

Omero
Humerus

Osso mandibolare
Mandible

Vertebre
Vertebrae

Clavicola
Clavicle

Osso nasale
Nasal bone

Ulna
Ulna

Radio
Radius

Sterno
Sternum

Costole
Ribs

Mascella
Maxilla

109

Lo scheletro
Skeleton

Le ombre | Shading

Prova a ricalcare i contorni di questo disegno con un foglio trasparente e cerca poi di realizzare le ombre come Leonardo.

Take a piece of tracing paper and try to reproduce the outline of this drawing, then try to shade it in like Leonardo did.

Come si chiamano le ossa? | What are the bones called?

La precisione del disegno di Leonardo è stupefacente. Sei in grado di riconoscere le ossa indicate osservando il suo disegno? Puoi scrivere le risposte sopra i tratteggi.

Leonardo's drawing is stunningly accurate. Look at his drawing and see if you can identify the bones listed. Write your answers on the dotted lines.

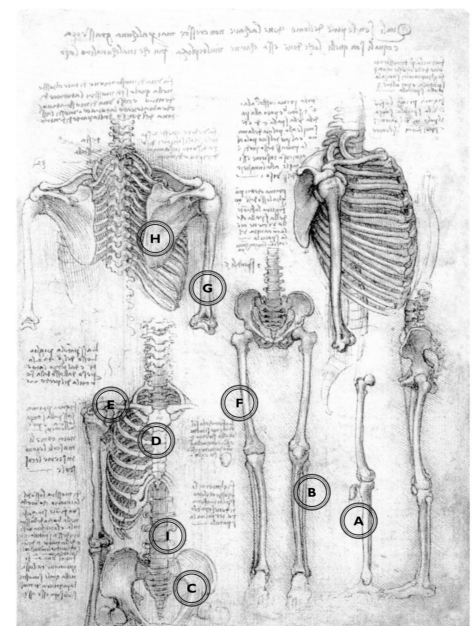

Soluzioni | Answers
I nomi corretti sono: perone, tibia, ileo, sterno, clavicola, femore, omero, scapola, vertebre
The right names are: fibula, tibia, ilium, sternum, clavicle, femur, humerus, scapula, vertebrae

110

Ⓐ .... Ⓓ .... Ⓖ ....

Ⓑ .... Ⓔ .... Ⓗ ....

Ⓒ .... Ⓕ .... Ⓘ ....

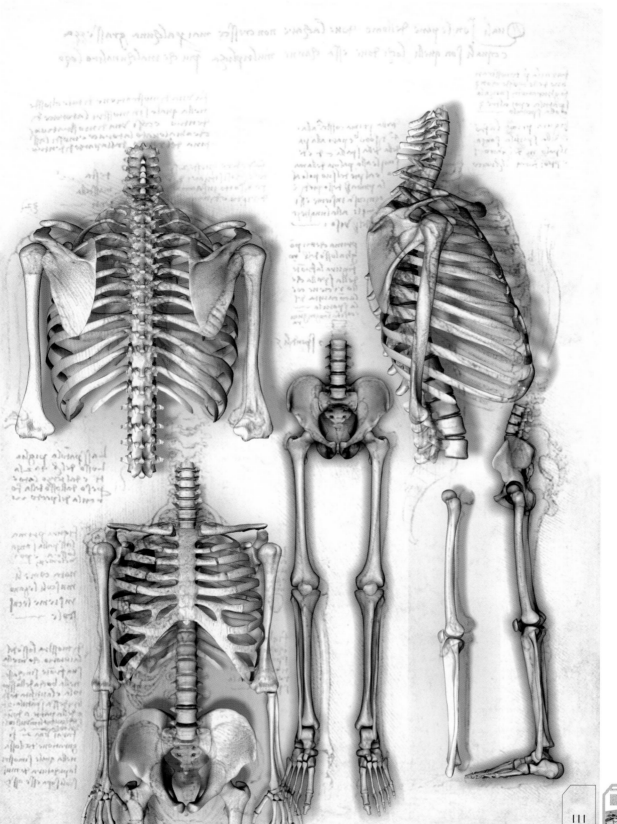

La figura umana
The human body

Gli anatomisti scrivevano lunghi testi e usavano le figure prevalentemente come schemi, per memorizzare le parole. Per Leonardo è invece assolutamente centrale il disegno e i suoi testi non sono che brevi note di accompagnamento. La fiducia nell'immagine come mezzo di comunicazione della scienza è totale. Per Leonardo il disegno è addirittura più efficace dell'osservazione diretta. Immagini ben realizzate hanno quindi maggior valore della parola scritta e dell'esperienza diretta.

The anatomists used to write long textbooks and used images of the body mainly as diagrams to help them remember the names. Leonardo was quite the opposite. For him, the image was absolutely central and what he wrote consists of no more than brief accompanying notes. He believed absolutely in the value of pictures as a means of communicating science. For Leonardo drawing was even more effective than direct observation. Properly executed drawings were therefore more valuable than the written word or direct experience.

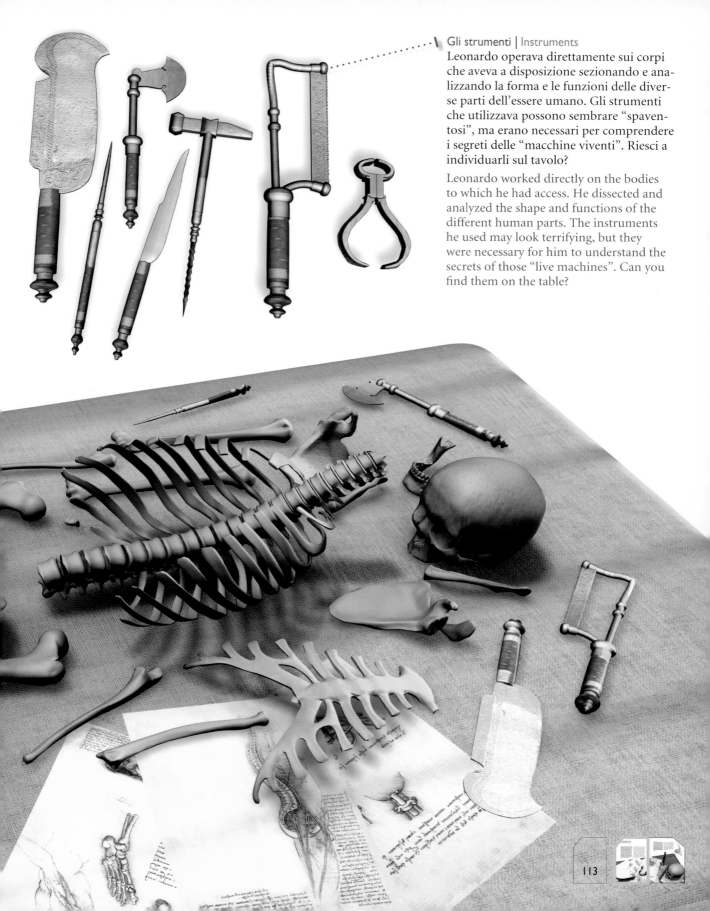

Gli strumenti | Instruments

Leonardo operava direttamente sui corpi che aveva a disposizione sezionando e analizzando la forma e le funzioni delle diverse parti dell'essere umano. Gli strumenti che utilizzava possono sembrare "spaventosi", ma erano necessari per comprendere i segreti delle "macchine viventi". Riesci a individuarli sul tavolo?

Leonardo worked directly on the bodies to which he had access. He dissected and analyzed the shape and functions of the different human parts. The instruments he used may look terrifying, but they were necessary for him to understand the secrets of those "live machines". Can you find them on the table?

L'analisi del cranio
Examining the skull

Nel foglio *Windsor 19058*, Leonardo disegna un teschio sezionato a metà dal quale ha estratto alcuni denti. A fianco al disegno del teschio riproduce le quattro tipologie di denti, segnandone la quantità per ciascuno: 4 incisivi, 2 canini, 4 premolari e 6 molari per ognuna delle arcate. È interessante notare come Leonardo operi su una metà del teschio, tagliandone alcune parti per poi affiancarlo alla metà integra per farne un confronto, proprio come si fa nel disegno tecnico moderno.

Windsor folio 19058 shows a Leonardo drawing of a skull he had cut in half, from which he had pulled a few teeth. Next to the skull he drew the four kinds of teeth and noted how many of each there were: 4 incisors, 2 canines, 4 premolars and 6 molars in each arch. Interestingly, Leonardo operated on one half of the skull, cutting away various sections and then setting them alongside the uncut half in order to compare them, just the way modern technical drawing does it today.

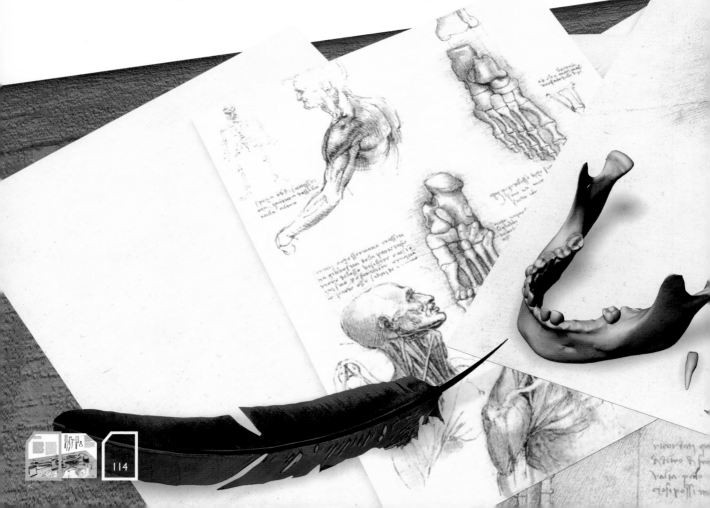

Particolare | Details

Osservando attentamente il disegno di Leonardo si riesce a immaginare come lavorò con precisione su questo teschio. Il taglio realizzato con una lama dentata per dividere a metà il teschio è cominciato sulla parte alta, ed è ben visibile come le fasi iniziali del taglio siano state difficili. Leonardo infatti riproduce fedelmente una leggera apertura, dove la lama, probabilmente con una certa difficoltà, ha iniziato a lavorare.

If you look carefully at Leonardo's drawing you will be able to imagine the degree of precision used in his work on this skull. He used a serrated blade to cut the skull in half, starting from the top; you can see clearly how hard it was to begin. In fact, Leonardo's drawing is so faithful to detail that he even included the small hole where the blade started the cut, probably with some difficulty.

Arte o scienza?
Art or science?

L'approccio di Leonardo allo studio dell'anatomia è rivoluzionario per l'epoca in cui è vissuto. La sua voglia di esplorare il corpo umano e il suo inimitabile spirito d'osservazione non sono infatti limitati a quella che oggi viene chiamata "anatomia per artisti", ovvero lo studio della struttura del corpo (muscoli e scheletro) in funzione della rappresentazione ai fini della pittura o della scultura. Certamente Leonardo svolge i suoi studi anche con fini pittorici. Ma il vero valore dei sui disegni anatomici consiste nell'aver riunito in se stesso l'artista e lo scienziato, svolgendo questi ruoli con una perizia e un'abilità inimitabile. Basti pensare, per esempio, che nella meccanica respiratoria e in quella dei muscoli (compreso il cuore) fece osservazioni geniali, così come realizzò esperimenti assolutamente originali: iniettò liquidi solidificabili (come la cera) negli organi per riprodurne esattamente la cavità. Aveva anche ideato una forma di gesso per gonfiare il cuore e mostrare con una forma di vetro il comportamento del sangue rispetto alle valvole cardiache.

Leonardo's approach to the study of anatomy was revolutionary in the age in which he lived. His desire to explore the human body and his inimitable spirit of observation are not limited to what we now call "anatomy for artists", that is to say, study of the body structure (muscles and skeleton) for the purpose of artistic representation such as painting or sculpture. Certainly, Leonardo also carried out his studies to serve his art, but the real value of his anatomical drawings is that they combined both artist and scientist in a single person: himself; and he performed the two roles with unequalled skill and ability. Just think, for example, of the inspired observations he made about the breathing process and muscles (including the heart) and his totally novel experiments: he injected liquids that could be solidified (like wax) into the organs to obtain exact reproductions of their cavities. He also invented a form of plaster to fill the heart and he created a glass vessel in order to demonstrate how blood behaved in relationship to the heart valves.

Punti di vista | Different angles

Leonardo è forse il primo a comprendere l'importanza di disegnare un soggetto da più punti di vista, per migliorarne la comprensione.

Leonardo may have been the first person to understand the importance of drawing a subject from more than one angle in order to understand it better.

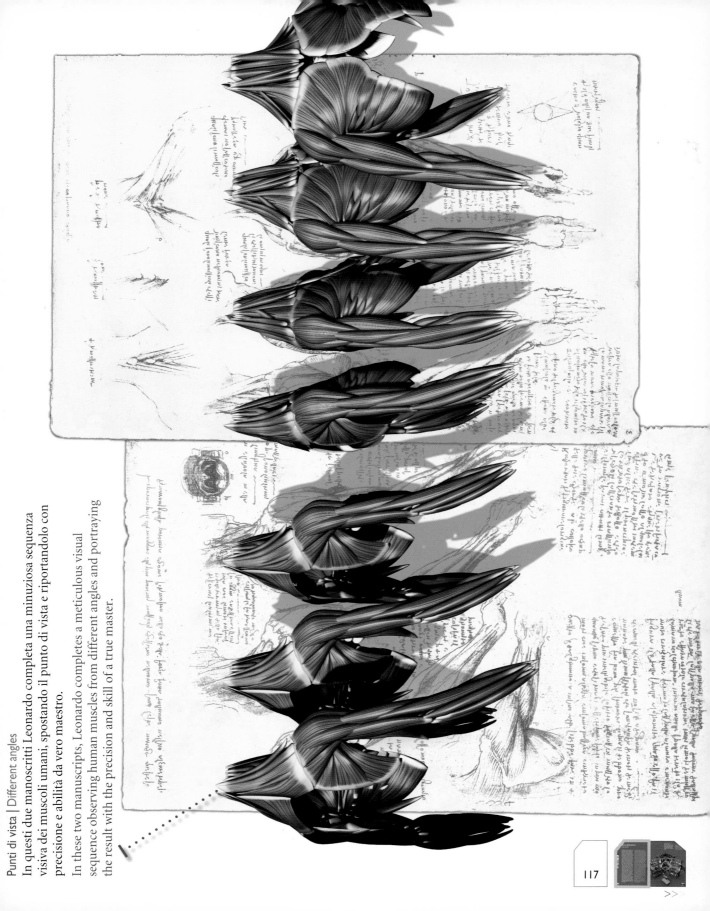

Punti di vista | Different angles

In questi due manoscritti Leonardo completa una minuziosa sequenza visiva dei muscoli umani, spostando il punto di vista e riportandolo con precisione e abilità da vero maestro.

In these two manuscripts, Leonardo completes a meticulous visual sequence observing human muscles from different angles and portraying the result with the precision and skill of a true master.

>>

Stanza della pittura
Art room

La fama di Leonardo è in gran parte dovuta alla sua opera di pittore, tanto che i suoi lavori sono universalmente considerati dei capolavori. All'età di 17 anni entra come apprendista nella bottega fiorentina del celebre pittore e scultore Andrea del Verrocchio, dove si fa notare per le doti eccezionali che presto superano quelle del suo maestro. Tre anni dopo inizia già la carriera di artista autonomo. Leonardo considera la pittura come l'arte superiore a tutte le altre. E anche in questo campo applica il suo metodo di teoria e pratica: sostiene l'importanza dell'osservazione della natura, dell'applicazione di conoscenze di geometria, ottica e anatomia... Tali conoscenze si rivelano utilissime per realizzare volti di straordinaria bellezza e immagini di grande realismo. È anche uno sperimentatore di tecniche e materiali, alla continua ricerca di risultati sempre migliori, ma non senza qualche fallimento. Sono celebri, in questo senso, i suoi esperimenti relativi all'*Ultima Cena*, che non realizza con la tecnica consolidata dell'affresco e che purtroppo comincia a deteriorarsi fin da subito.
Il suo segreto è quello di riuscire a fondere il realismo con la rappresentazione di quello che i suoi soggetti hanno nella loro anima: *"Farai le figure in tale atto il quale sia sufficiente a dimostrare quello che la figura ha nell'animo; altrimenti la tua arte non sarà laudabile"*.

Much of Leonardo's fame is due to his work as an artist; in fact, his paintings are considered as masterpieces all over the world. At the age of 17 he became an apprentice in the studio of the celebrated Florentine artist, Andrea del Verrocchio, where his exceptional talents soon got him noticed and soon surpassed those of his master. Three years later he began his career as an independent artist. Leonardo considered painting to be superior to all other forms of art. In this field too, he applied his method of using theory as well as practice: he maintained that it was important to observe nature, to use one's knowledge of geometry, optical science and anatomy... This knowledge proved extremely useful in his creation of extraordinarily beautiful faces and extremely realistic paintings. He also experimented with materials and techniques and was forever trying to achieve better results, although he didn't always succeed. Among his failures, his experiments with the *Last Supper* are well known: instead of the tried and tested art of frescos, he experimented with new techniques, with the result that the painting began to deteriorate almost before it was finished.
His secret is that he combines realism with the spirit or character of his subjects: *"Create your figures in positions that show what they are thinking; otherwise your art will not be worthy of praise"*.

Il Laboratorio di Leonardo
Da Vinci's Workshop

I dipinti su commissione rappresentano una fonte di reddito importante per Leonardo. Malgrado ciò molte opere non vedono la fine, perché è occupato in altre attività oppure abbandona il lavoro insoddisfatto del risultato.

Specially commissioned paintings were an important source of income for Leonardo, yet many of his works were still never finished. Either Leonardo was too busy with all his different activities or he was not satisfied with the result and abandoned the works.

>>>

La prospettiva nell'Adorazione dei Magi
Perspective in the Adoration of the Magi

La carriera di Leonardo pittore si intreccia con la poliedricità dei suoi interessi; per questo non di rado lascia incompiuti alcuni dipinti, di cui ci restano gli studi o i cartoni preparatori. È il caso dell'*Adorazione dei Magi*, di cui abbiamo, oltre alla tavola non completata, alcuni schizzi e disegni che testimoniano un attento studio della prospettiva delle architetture sullo sfondo.

Leonardo's career as an artist was interwoven with all his many and varied interests. As a result, it was not uncommon that a few paintings were left unfinished and of these we have only his preliminary studies or "sketches". An example of this is the *Adoration of the Magi*, of which he left an unfinished painting and a number of sketches and designs, showing that Leonardo carefully studied the perspective for the architecture he painted in the background.

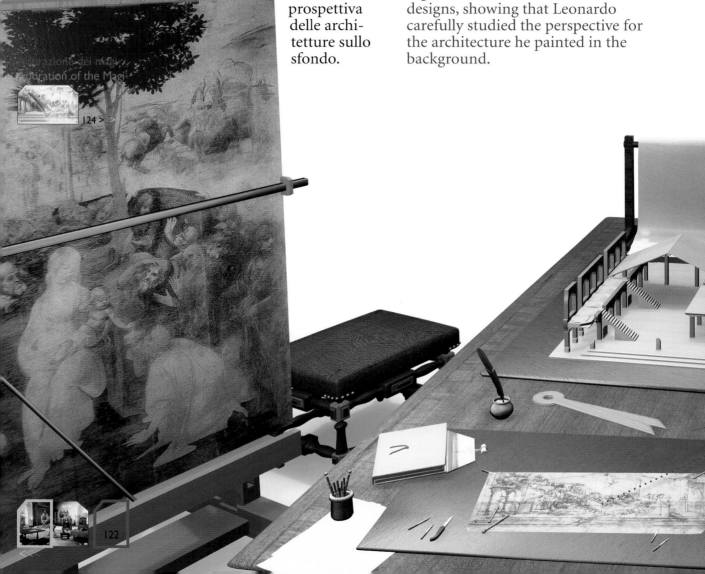

124 > >

Il prospettografo
The perspectograph

Questo strumento, presente sul foglio 5r del *Codice Atlantico*, veniva usato dai pittori: attraverso un foro guardavano con un solo occhio il soggetto da disegnare e, sulla lastra posta nel mezzo, tracciavano il profilo di quel che vedevano. Il principio è lo stesso della macchina fotografica e del singolo occhio umano che vedono un'immagine come su un foglio: bidimensionale (2D). Nella realtà un oggetto è invece 3D (larghezza, altezza e profondità), mentre in un dipinto è 2D (la profondità del foglio è fissa).

Some people think that Leonardo invented this instrument, shown on folio 5r of the *Codex Atlanticus*. It was used by artists, who put one eye at a hole to look at an object while forcing themselves to focus on a glass plate. In this way they saw a view that was similar to what they were able to paint. Of course, an object really has three dimensions (3D: width, height and depth) while a painting is two dimensional (2D) because the paper or canvas has a fixed depth.

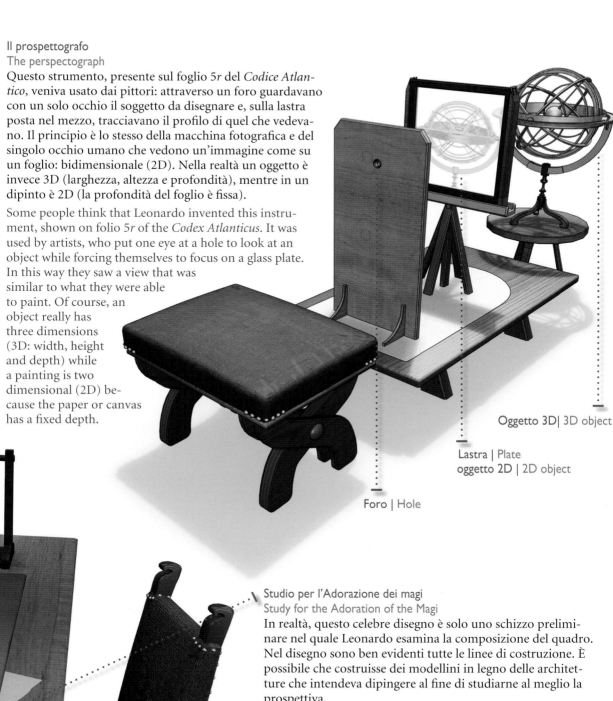

Oggetto 3D| 3D object

Lastra | Plate
oggetto 2D | 2D object

Foro | Hole

Studio per l'Adorazione dei magi
Study for the Adoration of the Magi

In realtà, questo celebre disegno è solo uno schizzo preliminare nel quale Leonardo esamina la composizione del quadro. Nel disegno sono ben evidenti tutte le linee di costruzione. È possibile che costruisse dei modellini in legno delle architetture che intendeva dipingere al fine di studiarne al meglio la prospettiva.

In reality, this famous picture is only a preliminary sketch which Leonardo used to study how to compose the painting. All the constructional lines are clearly visible. He may also have made little wooden models of the buildings he intended to paint so that he could study the perspective better.

Osserva | Look

Riesci a individuare il punto di fuga? Ovvero dove si incontrano tutte le linee parallele?

Can you see the vanishing point? That's where all the parallel lines seem to meet.

La Gioconda
The Mona Lisa

È uno dei dipinti più celebri al mondo e sicuramente il più visto al Louvre di Parigi, dov'è custodito dietro un vetro antiproiettile. Leonardo lo porta con sé quando si trasferisce in Francia dove poi lo venderà al re Francesco I. La fama di questo dipinto, che peraltro Napoleone si fece appendere in camera da letto, è legata alla maestria dell'esecuzione tecnica, basata sull'applicazione successiva di leggere velature di colore. Non ci sono misteri ed enigmi in questo meraviglioso ritratto. Il problema è che, per chi non è capace di dipingere, questa sembra una magia!

This is one of the most famous paintings in the world and certainly the most viewed painting in the Paris Louvre, where it is displayed behind bullet-proof glass. Leonardo took it with him when he moved to France and later sold it to the King, François I. The fame of this painting, which Napoleon ordered to be hung in his bedroom, is due to Leonardo's mastery of the technique, which consisted of adding several layers of color, one after another, resulting in the expressive face and the enigmatic smile. There's nothing puzzling or mysterious about this superb portrait. The only problem is that anyone unable to paint thinks it must be magic!

Il legno | The panel

La *Gioconda* è stata dipinta con pittura a olio su legno di pioppo. Nel Rinascimento venivano usati anche altri legni quali il noce, l'abete e il pino silvestre.

The *Mona Lisa* is painted in oils on poplar wood. During the Renaissance all kinds of wood were used such as walnut, fir and Scotch pine.

La posa | The pose

La realizzazione di un ritratto richiede molti giorni di lavoro. Per combattere la noia e la stanchezza nella sua modella, Leonardo:

"essendo Mona Lisa bellissima, teneva mentre che la ritraeva, chi suonasse o cantasse, ... per levar via quel malinconico, che suol dare spesso la pittura ai ritratti che si fanno".

Painting a portrait takes many days of work. To avoid his model becoming bored or tired Leonardo:

"employed musicians and singers for the extremely beautiful Mona Lisa while painting her... to offset the melancholy that portrait painting can often inflict on those who have them painted".

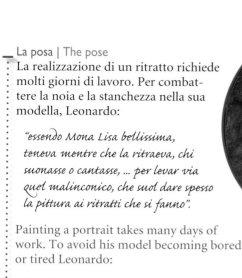

Lo sfondo | The background

È un paesaggio probabilmente ispirato dalle campagne e colline toscane. Si tratta di uno dei primi ritratti con alle spalle un panorama.

This scene was probably based on the hills and countryside of Tuscany. This is one of the first portraits with a view of countryside in the background.

La Vergine delle Rocce
The Virgin of the Rocks

Il dipinto conosciuto come *Vergine delle Rocce*, fu commissionato dai monaci di una confraternita per l'altare di una chiesa di Milano. Di questo quadro esistono due versioni, in quanto Leonardo dipinse la prima senza rispettare le richieste dei suoi committenti che ne pretesero quindi una copia modificata. Quest'opera deve il suo nome all'ambientazione della scena in una caverna dove la Madonna e suo figlio Gesù incontrano il profeta san Giovanni Battista accompagnato da un angelo.

The painting known as the *Virgin of the Rocks*, was commissioned by a community of monks for the altar of a church in Milan. There are two versions of this painting, because when Leonardo painted the first one he ignored the monks' wishes, so they demanded that he paint an amended copy. The painting owes its name to the cave setting, where the Virgin and her son Jesus meet the prophet Saint John the Baptist accompanied by an angel.

Ocra rossa | Red ochre

La tempera | Tempera

Le uova servivano, insieme all'acqua, a diluire i pigmenti colorati e fungevano da collante. La tempera così ottenuta aveva il difetto di asciugare molto rapidamente, rendendo difficile qualsiasi correzione successiva.

Artists used egg mixed with water to dilute their colored pigments. The resulting tempera had a drawback: it dried very rapidly, so it was hard to make any corrections later on.

Verde malachite | Malachite green

Ocra gialla | Yellow ochre

Bianco d'uovo | Egg white

Nero avorio | Ivory black

Blu oltremare | Ultramarine blue

I colori | The colors

Si preparavano macinando alcune pietre, compito normalmente riservato ai giovani apprendisti. I colori diluiti con l'olio di lino si asciugavano lentamente, permettendo di riprendere la pittura in momenti successivi. All'epoca di Leonardo questa tecnica era stata appena introdotta e spesso conviveva nel medesimo dipinto con la tempera.

These were prepared by grinding certain stones, a task usually given to the young apprentices. Colors diluted with linseed oil dried slowly, so the artists could return to the paintings later. This was quite a new technique in Leonardo's day and oils were often used in the same painting as tempera.

Il poggiamano | Handrest

Regolandolo l'asse all'altezza desiderata, il pittore vi poggia un bastone che funge da sostegno per la mano che impugna il pennello, permettendo una maggiore precisione. Leonardo disegna le figure sul gesso della tavola, usa del colore bruno per delinearne il chiaro-scuro, poi copre tutto con una tinta bruna diluita su cui dipinge con i diversi colori.

The artist adjusted the easel to the desired height, then used a bar to act as a support for the hand that held the brush; this made the brushstrokes more accurate. Leonardo drew his figures on the prepared board, using dark for contrasting light and shade (chiaroscuro), then covered everything with a less intense brown, before painting different colors on top.

I pennelli | Brushes

Nel Rinascimento i pennelli venivano costruiti con peli di animali come lo scoiattolo, il capriolo o il maiale.

In the Renaissance, brushes were made using animal hair or bristles (for instance, from squirrels, roe deer or pigs).

06 (1482)
Adorazione dei Magi
Adoration of the Magi

07 (1473-1478)
Battesimo di Cristo
Baptism of Christ

08 (14790-1495)
Ritratto di dama - La Belle Ferronnière
Portrait of a Lady - La Belle Ferronnière

09 (1501)
Madonna dei fusi
Madonna with the Spindle

10 (1474-1476)
Ritratto di Ginevra Benci
Portrait of Ginevra de' Benci

01 (1510-1513)
Sant'Anna, la Madonna, il Bambino e l'agnellino
Virgin and Child with Saint Anne

02 (1470-1475)
Annunciazione
Annunciation

03 (1480)
San Gerolamo
Saint Jerome

04 (1470-1473)
Madonna del garofano
Madonna with the Carnation

05 (1501)
La dama con l'ermellino - Cecilia Gallerani
Lady with the Ermine - Cecilia Gallerani

11 (1495-1508)
La Vergine delle rocce - Londra
The Virgin of the Rocks – London

12 (1486)
Ritratto di musico
Portrait of a Musician

13 (1510-1517)
Bacco - San Giovanni
Bacchus - Saint John

14 (1483-1486)
L'ultima cena
The last supper

15 (1483-1486)
La Vergine delle rocce - Parigi
The Virgin of the Rocks - Paris

16 (1478-1582)
Madonna col Bambino - Madonna Benois
Madonna with Child - Benois Madonna

17 (1510-1517)
San Giovanni Battista
Saint John the Baptist

18 (1501)
S. Anna, la Madonna, Gesù e S. Giovannino
Virgin and Child with Saint Anne

19 (1503-1514)
Monna Lisa del Giocondo
Mona Lisa – La Gioconda

20 (1469-1470)
Madonna Dreyfus
Dreyfus Madonna

Cortile: il Monumento Sforza
Courtyard: the Sforza Monument

"Adì 23 d'aprile 1490 cominciai questo libro e ricominciai il cavallo" (Manoscritto C). Con queste parole Leonardo apre uno dei suoi quaderni di appunti custoditi oggi all'Istituto di Francia di Parigi. Il cavallo, o più correttamente il Monumento equestre dedicato a Francesco Sforza (il padre di Ludovico il Moro), è un progetto affascinante che ha occupato per 15 anni il Genio di Vinci. Questo monumento celebrativo doveva essere un'opera straordinaria sia per bellezza sia per maestosità e sono proprio le dimensioni colossali del cavallo a mettere in mostra tutto il carattere innovativo del Maestro. Il cavallo doveva essere di bronzo e alto più di 7 metri. Leonardo cerca di realizzarlo con una tecnica del tutto innovativa: in un'unica colata. Per raggiungere questo scopo deve mettere a punto un complesso procedimento e risolvere molti problemi relativi alla movimentazione, al trasporto e alla fusione di una massa di bronzo tanto grande, per scaldare la quale sono necessari più forni di fusione. Il risultato finale doveva essere stupefacente: una volta terminata la colata, il cavallo poteva essere estratto completamente finito, analogamente a quanto avviene con gli stampi nelle fonderie dei nostri giorni. Purtroppo, il cavallo in bronzo non venne mai realizzato. Nel 1499 il ducato di Milano cadde e il modello in creta realizzato da Leonardo fu distrutto dai francesi a colpi di balestra.

"On 23 April 1490 I began this book and once more set to work on the horse" (Manuscript C). Those are the opening words of one of Leonardo's notebooks now conserved at the Institut de France in Paris. The horse or, more accurately, the Equestrian Monument dedicated to Francesco Sforza (Ludovico the Moor's father), is a fascinating project that occupied Da Vinci's genius for 15 years. This commemorative monument was intended to be an extraordinary piece of work both for its beauty and for its majestic proportions; in fact, it is the horse's colossal size that exhibits the full extent of the Maestro's creativity and innovative nature. The horse was to be made of bronze and would be over 7 meters (around 23 ft) high. Leonardo tried to make it by a completely new method: in a single cast. To achieve his aim, he had to perfect a complicated process and solve many problems relating to moving, carrying and casting such an enormous quantity of bronze, including several furnaces to melt the metal. The final result would be stunning: once the cast had been completed, the horse it turned out would be completely finished, in a similar way that molds are cast in foundries today.

Unfortunately, the bronze horse was never made. In 1499, the Duchy of Milan was conquered and the clay model Leonardo had made was destroyed by the French crossbowmen.

Il Laboratorio di Leonardo
Da Vinci's Workshop

Le dimensioni colossali del cavallo non permettono di operare all'interno di un palazzo. Per questo motivo tutte le operazioni di fusione si svolgono all'esterno, al riparo di una tettoia in un cantiere allestito appositamente.

The colossal dimensions of the horse meant it was impossible to work inside a building. That's why all the casting processes took place outside, on a site with a specially constructed roof.

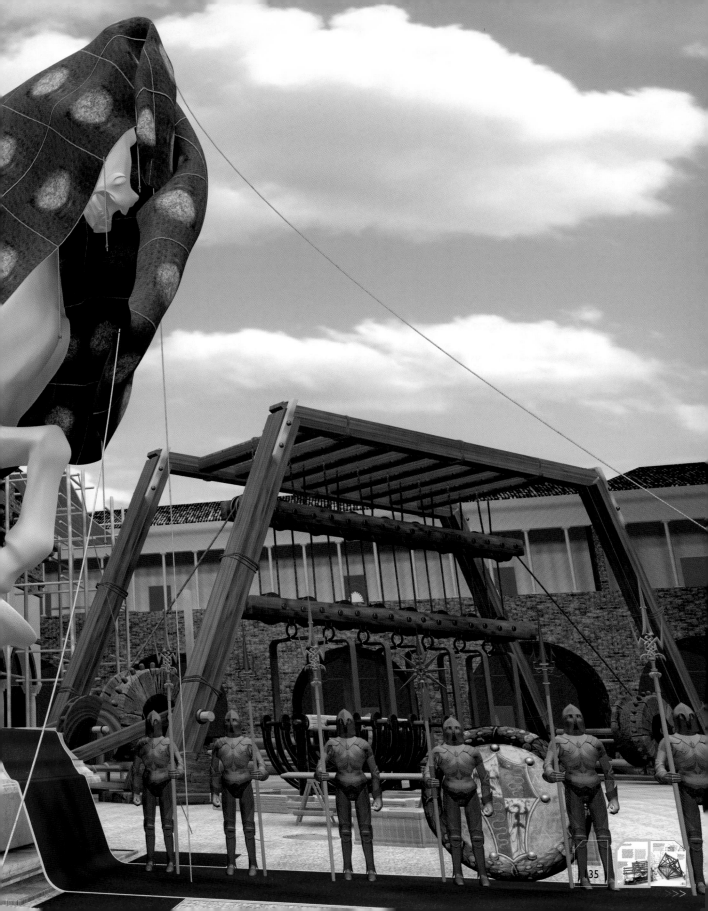

Spostare il cavallo
Moving the horse

Il cavallo è alto 7,2 metri e, calcolando che veniva realizzato in bronzo, poteva pesare oltre 80 tonnellate. Preso atto di questi importanti elementi, Leonardo capisce che spostare l'opera finita e le forme in terra necessarie per la fusione senza recare alcun danno comporta la progettazione e realizzazione di particolari macchine in grado di sollevare e movimentare pesi tanto importanti.

The horse is 7.2 meters (around 23 ft) high and, as it was to be made of bronze, its weight could be calculated at more than 80 tons. With all these important facts in mind, Leonardo realized that moving the finished object and the clay molds needed to cast it without anything being damaged would involve designing and producing some very special machines capable of lifting and manipulating such heavy weights.

A cosa serviva? | What was it for?
Questa macchina, disegnata sul foglio 154r del *Codice Madrid*, ha il compito di calare la forma di fusione dentro la fossa (vedi pag. 139) prima della colata. Saggiamente Leonardo disegna una macchina dotata di più carrucole, utili a distribuire l'enorme peso della forma su più funi. La macchina deve necessariamente essere azionata da una squadra di operai.

This machine, pictured on folio 154r of the *Codex Madrid*, was for lowering the mold into the framework before making the cast (see page 139). Leonardo wisely designed a machine with a several pulleys, useful for distributing the enormous weight of the mold via a number of ropes. Obviously, the machine had to be operated by a whole team of workmen.

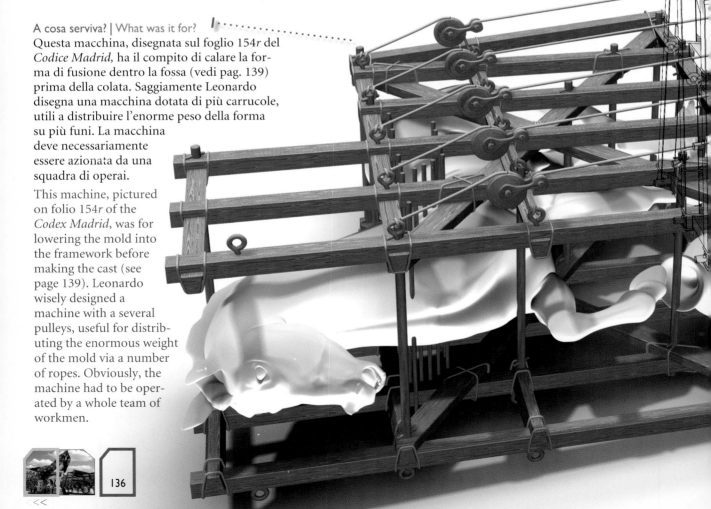

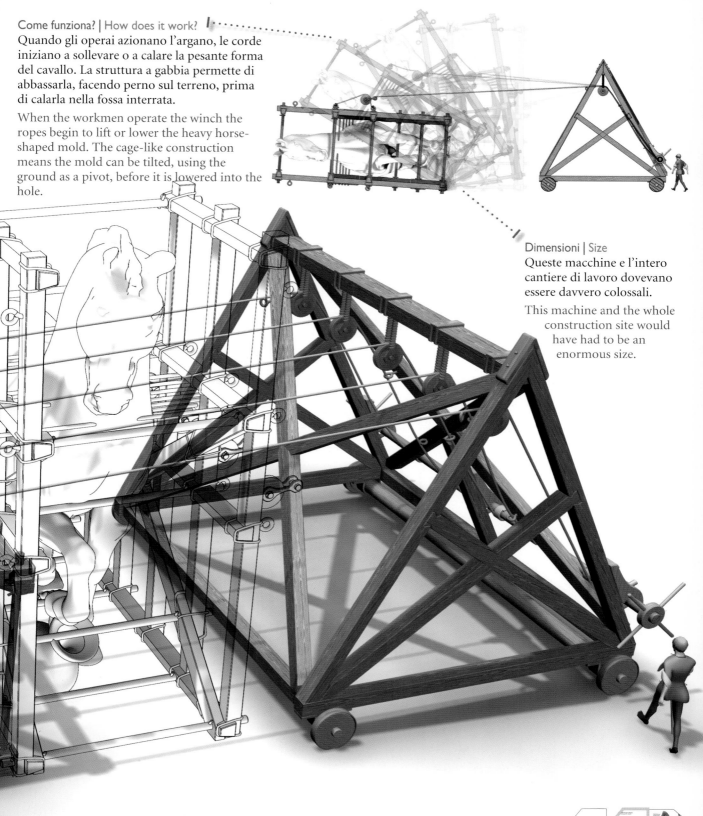

Come funziona? | How does it work?

Quando gli operai azionano l'argano, le corde iniziano a sollevare o a calare la pesante forma del cavallo. La struttura a gabbia permette di abbassarla, facendo perno sul terreno, prima di calarla nella fossa interrata.

When the workmen operate the winch the ropes begin to lift or lower the heavy horse-shaped mold. The cage-like construction means the mold can be tilted, using the ground as a pivot, before it is lowered into the hole.

Dimensioni | Size

Queste macchine e l'intero cantiere di lavoro dovevano essere davvero colossali.

This machine and the whole construction site would have had to be an enormous size.

Sollevare pesi colossali
Lifting great weights

Per sollevare la forma di fusione Leonardo sviluppa una macchina interessante, costituita da una serie di pulegge (10 fisse e 9 mobili). Azionando gli argani a ruote dentate era così possibile sollevare il grande carico distribuendo il peso su ciascuna ruota, evitando sovraccarichi e rotture della struttura o del cavallo stesso. È interessante notare come Leonardo, nel disegnare questa macchina, pensi prima a una macchina generica per pesi colossali (manoscritto di *Windsor* 12349*r*) e nel disegno sostituisca quindi la forma del cavallo con un peso dall'aspetto di un parallelepipedo che, durante le fasi di realizzazione, sarà il cavallo vero e proprio.

To lift the mold, Leonardo developed an interesting kind of machine, consisting of a series of pulleys. By activating the winches with the toothed wheels it would be possible to raise the heavy load; each wheel would take part of the weight, to avoid overloading or breaking the machine or the horse itself. It is interesting to note that when he designed this machine Leonardo thought first of a machine for enormous weights in general (*Windsor* manuscript 12349*r*) and, instead of the mold for the horse, drew a weight in the shape of a geometric solid called a parallelepiped which, as the project progressed, would gradually evolve into the horse.

Il cavallo | The horse
La forma di fusione del cavallo viene sollevata grazie a questa macchina in grado di sopportare un peso di 80 tonnellate.

The mold for the horse is raised by means of this machine, which can lift 80 tons.

La fusione | Casting

Avviene sotto terra e il bronzo viene colato in un complesso sistema di canali e controstampi. Leonardo progetta un complicato sistema di gabbie divise a settori dentro i quali il bronzo viene colato da più forni. Una volta raffreddato ed estratto il cavallo, le armature (raffigurate qui a lato) vengono tolte una a una per liberarlo. In un manoscritto (*Codice di Madrid II*, foglio 155*r*) Leonardo progetta anche i sistemi d'aggancio (qui sotto sul manoscritto) dei vari settori per vincere la forza della colata e tenere chiusa tutta l'armatura.

This is done below ground level. The bronze is poured through a complicated system of channels and countermolds. Leonardo planned a complicated system of "cages" divided into sections; the bronze would be poured into the sections from several different furnaces. Once the horse had cooled and been taken out of the mold, the framework (see alongside) would be removed piece by piece to release it completely. In one manuscript (*Codex Madrid II*, folio 155*r*) Leonardo also designed systems of connectors (on the manuscript below) for the various sections that would withstand the force of the bronze being poured and would ensure that the mold remained closed.

Stanza del volo
Flight room

Fin da bambino, Leonardo osserva con particolare curiosità gli uccelli volare nel cielo. E come tutti sogna di "conquistare" anche l'aria. Per questo dedica molti progetti alla creazione di una macchina in grado di far volare l'uomo. Prima di lui il volo apparteneva a racconti mitologici e nessuno lo aveva studiato approfonditamente. Leonardo scrive invece un (mai terminato) libro e moltissimi altri appunti sul volo degli uccelli, raccogliendo osservazioni sul volo con ali battenti e su quello planato. Analizza le ossa degli uccelli e le loro piume, cerca di capire come fanno a cambiare direzione nell'aria e a non precipitare. Oltre agli uccelli studia anche pipistrelli, farfalle e libellule e da questi animali prende ispirazione per costruire repliche meccaniche delle loro ali e dei loro movimenti. Disegna progetti di macchine volanti di tutti i tipi. Si dice che a Milano, mentre cercava di costruire la macchina volante "definitiva", la nascondesse con un telo per celarla a occhi indiscreti e destare meraviglia una volta finita. Se Leonardo non risolve definitivamente il problema del volo umano, non dipende dalla mancanza del motore, perché arriva a comprendere che, come fanno i grandi uccelli, si può sfruttare il vento. Quello che gli manca è solo il tempo per realizzare gli esperimenti di volo necessari a rendere il volo una realtà. Il volo è una vera e propria arte e rappresenta sia il primo sia l'ultimo e forse più grande sogno di Leonardo.

Even as a child, Leonardo was especially interested in watching birds in flight and, as we all do, he dreamt of "conquering" the air. So he tried hard to understand how to build a machine that would enable man to fly. Before Leonardo, flight was the stuff of legend and no one had studied it seriously. But Leonardo wrote an unfinished book and many other notes about the flight of birds, gathering information about flying with wings that beat and glide. He analyzed the bones and feathers of birds, trying to understand how they managed to change direction in the air without falling. In addition to birds, he studied bats, butterflies and dragonflies, and these inspired him to build mechanical replicas of their wings and their movements. He drew diagrams of all sorts of flying machines. It is said that while he was in Milan he tried to build the "perfect" flying machine – and kept it covered up to hide it from prying eyes so that people would be astonished when they saw the finished project. If Leonardo never finally solved the problem of man-powered flight, it wasn't for lack of an engine: in the end, he understood how to make use of the wind, just as large birds do. What he needed (but lacked) was the time to conduct enough experiments to make flying a reality. Flight is a real art and for Leonardo it was his first, his last, and perhaps his greatest dream.

Dopo tanto studio, osservazione degli uccelli e costruzione di modelli fisici, nel 1505 Leonardo progetta di volare partendo dal monte Ceceri, nei pressi di Firenze. Avrà forse tentato davvero qualche esperimento?

After years of research, studying birds and making models, in 1505 Leonardo planned to take off from the top of Mount Ceceri, near Florence. Do you think he really made the attempt?

Lo studio degli uccelli
Studies on the flight of birds

L'attenta osservazione della forma del corpo degli uccelli, del funzionamento delle ali, delle traiettorie e delle tecniche di volo si trasforma in una serie di appunti e schizzi che sono la base degli studi per comprendere i segreti del volo animale. Il *Codice sul volo degli uccelli* (oggi conservato alla Biblioteca Reale di Torino) è un piccolo libricino che contiene tutto questo. Leonardo lo scrive dopo aver provato a disegnare varie macchine volanti, perché si rende conto che ha bisogno di capire tutte le leggi che governano il volo degli uccelli. Molti dei successivi progetti prendono quindi ispirazione proprio dalla struttura ossea e muscolare dei volatili. I tendini, per esempio, vengono sostituiti dalle corde che l'uomo dovrebbe tirare per pilotare la macchina.

He transformed his careful observation of the shape of birds' bodies, of how their wings work, of their flight paths and methods of flying into a series of notes and sketches. These became the basis of his studies to discover the secrets of flying creatures. The *Codex on the Flight of Birds* (today housed in the Biblioteca Reale in Turin) is a little book that contains all those sketches. Leonardo wrote it after trying to design a number of flying machines, because he realized that he needed to understand all the laws that govern the flight of birds. So, many of his later designs are based on the bone and muscle structure of flying creatures. For example, the tendons are replaced by ropes that the pilot has to pull in order to steer the machine.

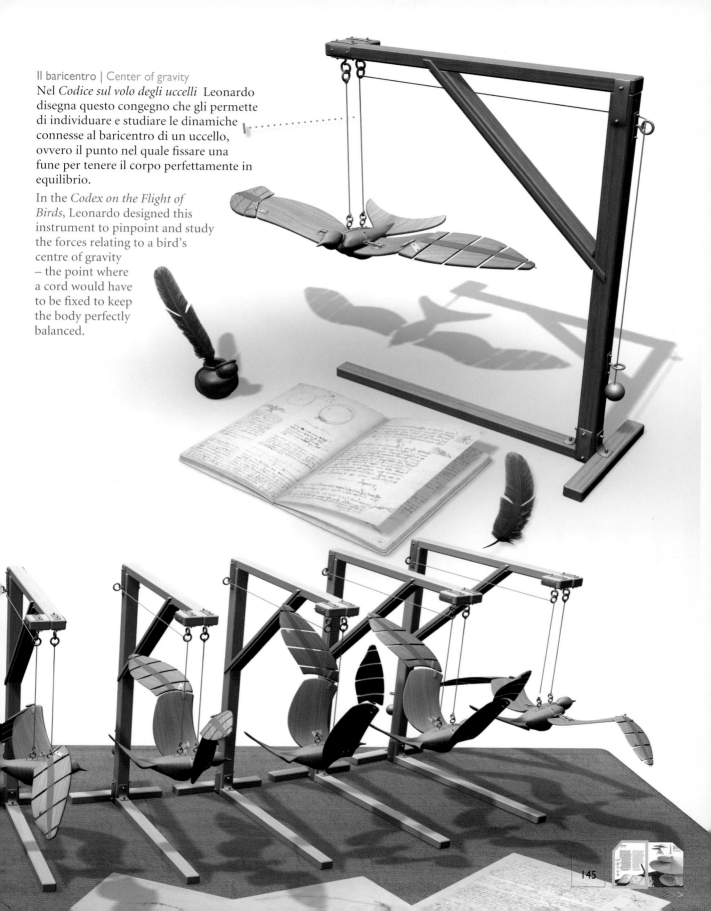

Il baricentro | Center of gravity

Nel *Codice sul volo degli uccelli* Leonardo disegna questo congegno che gli permette di individuare e studiare le dinamiche connesse al baricentro di un uccello, ovvero il punto nel quale fissare una fune per tenere il corpo perfettamente in equilibrio.

In the *Codex on the Flight of Birds*, Leonardo designed this instrument to pinpoint and study the forces relating to a bird's centre of gravity – the point where a cord would have to be fixed to keep the body perfectly balanced.

La vite aerea
Aerial screw

Nel *Manoscritto B* vi sono moltissimi progetti di macchine volanti; tra questi c'è un piccolo disegno che molti chiamano "l'elicottero". In realtà non è un elicottero e non può volare. Leonardo prende l'idea da un giocattolo e suggerisce di provare a costruire una vite molto grande che, azionata da quattro persone, si avviti nell'aria, come fa una vite nel legno. Girando molto in fretta potrebbe volare? La risposta è affermativa, ma solo per qualche secondo, poi i manovratori non avrebbero più il suolo su cui fare pressione e non riuscirebbero più a farla ruotare. Si tratta di una macchina affascinante ed è la dimostrazione che Leonardo capisce che l'aria è un fluido su cui le ali si possono "appoggiare". Nelle sue note scrive:

"...detta vite si fa femmina nell'aria e monterà in alto".

Manuscript B contains a great many designs for flying machines. One of them shows a little drawing that is often known as "the helicopter". In fact, it's not a helicopter and it cannot fly. Leonardo took the idea from a toy and designed a large screw that, when four people set it in action, would "turn itself" rising in the air, like a screw turning in wood. Do you think it could fly if it turned fast enough? The answer is "Yes", but only for a few seconds; then the operators would no longer be able to use the ground for traction and would no longer be able to make it turn. It's an amazing machine and it proves that Leonardo understood that air is a fluid that wings can "rest on". In his notes he wrote:

"… the screw will engage and turn itself into the air".

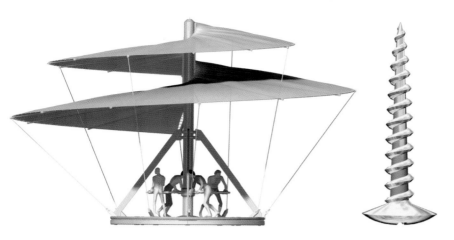

La forma | The shape

La vista laterale mette in evidenza la forma a vite del tessuto che dovrebbe permettere di far presa sull'aria.

The side view displays the screw-shape of the cloth intended to make the machine take to the air.

Lo studio dell'ala
Wing studies

Uno dei problemi che Leonardo analizza riguarda la forza da usare per muovere le ali meccaniche. Al centro della macchina dovrebbe esserci l'uomo che, con i suoi muscoli, dovrebbe riuscire a spingere e tirare i meccanismi che producono il battito d'ali. L'uomo è abbastanza forte per farlo così velocemente come fanno gli uccelli? Leonardo ha studiato gli uccelli e si rende conto che la loro massa muscolare è adeguata alle loro dimensioni. L'uomo, oltre a tenere in volo se stesso, dovrebbe riuscire a "sostenere" anche il peso di tutta la macchina e i suoi congegni. Nel caso dell'ala qui sotto, deve azionare la leva abbastanza velocemente e con forza col fine di sollevare un peso di 200 libbre (68 chilogrammi). Quest'ala ha dimensioni di 12 x 12 metri ed è costruita con canne ricoperte di rete e carta.

One of the problems Leonardo analyzed concerned the kind of energy he could use to move the mechanical wings. At the center of the machine a man could make the wings flap by using his muscles, pushing and pulling the devices. Is a human being strong enough to flap the wings as fast as a bird? Leonardo had studied birds and realized that their muscular mass was proportional to their size. A man instead would have to keep himself in flight as well as the additional weight of the flying machine. He would have to work the levers (see the image below) very rapidly and forcefully to lift a weight of 200 libbre (about 68 kg – almost 150 lbs). The area of this wing is 12 m^2 (130 ft^2) and it is made of rods covered with net and paper.

Peso da 200 libbre | 200 libbre weight |

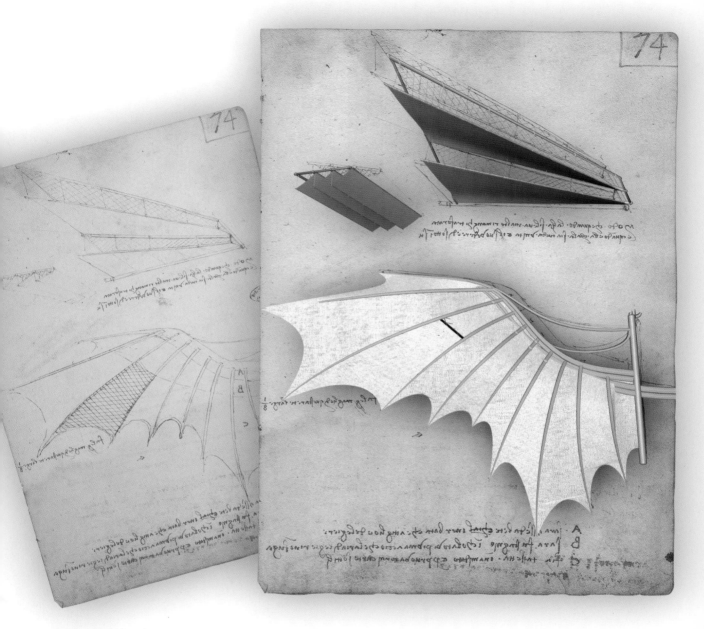

Le forme | Wing shapes

In questo foglio del *Manoscritto B* Leonardo studia due forme d'ali. Nello schizzo in alto disegna il "meccanismo a sportelli", ovvero una sorta di ventaglio che imita le piume degli uccelli: quando si abbassa non lascia passare l'aria (imprimendo così una spinta verso l'alto), quando si alza lascia invece filtrare l'aria. Nel disegno in basso Leonardo studia una forma di ala direttamente derivata da quella del pipistrello, divisa in spicchi.

On this folio of *Manuscript B* Leonardo has drawn studies of two types of wing. In the top sketch he drew a "panel mechanism", a sort of fan whose folds are intended to imitate a bird's feathers. When the folds are lowered the air cannot pass between them (so the wing is pushed upward); when they are raised, the air goes through. In the bottom study, Leonardo was examining a segmented shape copied directly from a bat's wing.

La macchina volante
The flying machine

Uno degli ultimi progetti di macchine volanti si trova nel *Codice Atlantico*. In una pagina con molti schizzi di difficile comprensione ci sono gli indizi per costruirla. È un enorme pipistrello meccanico largo quasi venti metri. La forma delle ali ed il numero si sezioni sembrano proprio quelle di un pipistrello. L'uomo è posto al centro della macchina. Le ali sono ricoperte da una rete a quadrati che serve per posizionare la tela e per far passare l'aria quando le ali si ripiegano in alto. Leonardo suggerisce di usare tela di lino opportunamente resa impermeabile, cucita e fissata sulla rete e sulle assi di legno curvarte con l'aqua. La coda serve per dare stabilità a quello che potrebbe essere un aliante.

One of the last designs for flying machines is found in the *Codex Atlanticus*. The instructions for building it are on a page full of sketches that are difficult to understand. It's an enormous mechanical bat almost 20 meters (65 ft) wide. The shape of the wings and the number of sections are exactly like a bat's. The man's place is in the center of the machine. The wings are covered in a network of square mesh that are used to fix the canvas and to allow air to pass through when the wings are folded upwards. Leonardo suggests using linen canvas, properly water-proofed, then sewn and fixed to the net as well as to the wooden struts (which are soaked in water to bend them). The tail is used to give stability to a machine that could, in fact, be a glider.

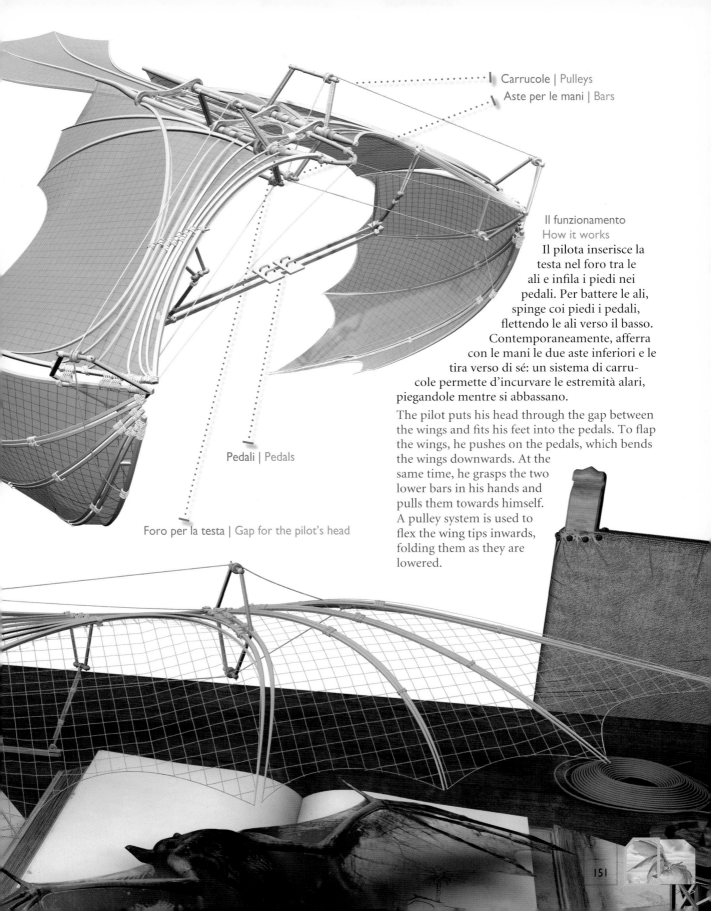

Carrucole | Pulleys

Aste per le mani | Bars

Il funzionamento
How it works

Il pilota inserisce la testa nel foro tra le ali e infila i piedi nei pedali. Per battere le ali, spinge coi piedi i pedali, flettendo le ali verso il basso. Contemporaneamente, afferra con le mani le due aste inferiori e le tira verso di sé: un sistema di carrucole permette d'incurvare le estremità alari, piegandole mentre si abbassano.

The pilot puts his head through the gap between the wings and fits his feet into the pedals. To flap the wings, he pushes on the pedals, which bends the wings downwards. At the same time, he grasps the two lower bars in his hands and pulls them towards himself. A pulley system is used to flex the wing tips inwards, folding them as they are lowered.

Pedali | Pedals

Foro per la testa | Gap for the pilot's head

La vita di Leonardo
Leonardo's life

1452
Il 15 aprile Leonardo nasce ad Anchiano, vicino a Vinci (in provincia di Firenze).

15 April. Leonardo is born in Anchiano, near Vinci (in the province of Florence).

1466
Si trasferisce a Firenze col padre.

He moves to Florence with his father.

1469
Entra nella bottega di Andrea del Verrocchio, frequentata da illustri artisti e giovani talenti.

Joins the studio of Andrea del Verrocchio, frequented by celebrated artists and young talented men.

1482
Lascia Firenze per mettersi al servizio di Ludovico Sforza, detto il Moro, signore di Milano.

Leaves Florence to enter the service of Ludovico Sforza, know as the "the Moor".

1489
Comincia a lavorare al "Cavallo", il monumento equestre voluto da Ludovico per celebrare Francesco Sforza.

Starts work on "The Horse", the equestrian monument Ludovico wanted as a tribute to Francesco Sforza.

1495
Inizia a dipingere il *Cenacolo*, nel refettorio della chiesa di Santa Maria delle Grazie.

Starts painting *The Last Supper*, in the refectory of the monastery of Santa Maria delle Grazie.

1499
Lascia Milano in compagnia di Luca Pacioli.

Leaves Milan in the company of Luca Pacioli.

1500
Si ferma a Mantova e Venezia e poi rientra a Firenze.

After staying in Mantua and Venice returns to Florence.

1503
A Firenze inizia a lavorare alla *Gioconda*.

In Florence, he begins work on the *Mona Lisa*.

1504
Muore il padre Piero, all'età di ottant'anni. Continua a lavorare alla *Battaglia di Anghiari* e realizza il progetto di canalizzazione dell'Arno.

His father, Piero, dies at the age of 80. Leonardo continues work on the *Battle of Anghiari* and plans the canal project of the River Arno.

1506
Torna per un soggiorno di tre mesi a Milano su insistenza del governatore francese Carlo d'Amboise. Viene nominato ingegnere e pittore del re Luigi XII.

Returns to Milan, where he stays for three months at the insistence of the French Governor, Charles d'Amboise. Is appointed artist and engineer to King Louis XII.

1508
Si trasferisce di nuovo a Milano al servizio dei francesi.

Again returns to Milan in the service of the French.

1513
Il 24 settembre si trasferisce a Roma e alloggia in Vaticano, al servizio di Giuliano de' Medici, fratello di Leone X. Continua a dipingere e studiare. Esegue il progetto del porto di Civitavecchia.

On 24 September he moves to Rome, where he resides in the Vatican, in the service of Giuliano dei Medici, the brother of Pope Leo X. Continues to paint and study. Makes plans for the port of Civitavecchia.

1516
Si trasferisce in Francia su invito del nuovo re di Francia Francesco I e alloggia nel castello di Cloux (Amboise.)

Moves to France at the invitation of the new King François I and lodges in the castle of Cloux (Amboise).

1519
Il 23 aprile redige il testamento designando il suo discepolo Francesco Melzi come erede di tutti i suoi manoscritti e strumenti. Morirà il 2 maggio e verrà sepolto nella città di Amboise, nel chiostro della chiesa di San Fiorentino.

On 23 April he makes his last Will and Testament, designating his pupil Francesco Melzi heir to all his manuscripts and instruments. He dies on 2 May and is buried in the town of Amboise, in the cloister of the church of Saint Florentin.

Glossario: le parole "difficili"
Glossary: the "difficult" words

Biologia: studio scientifico dei fenomeni vitali e degli organismi viventi.

Caccavella: strumento costituito da una pentola chiusa in cui è infilato un bastone che agitato provoca un suono crepitante.

Codice Ashburnham: due manoscritti conservati a Parigi, all'Istituto di Francia, che facevano parte dei manoscritti *A* e *B*.

Codice Atlantico: la più importante raccolta di manoscritti di Leonardo (1119 fogli), dedicati prevalentemente a macchine. Si trova a Milano, alla Biblioteca Ambrosiana.

Codice del volo degli uccelli: 18 fogli dedicati allo studio del volo degli uccelli. Si trova a Torino, alla Biblioteca Reale.

Codice Hammer: 18 fogli dedicati a studi di idraulica e astronomia. Si trova negli USA e appartiene a Bill Gates.

Codice Madrid: due manoscritti dedicati alla meccanica e al progetto del monumento Sforza. Si trovano a Madrid, in Spagna.

Codici Windsor: 234 fogli conservati presso il Castello di Windsor (in Gran Bretagna) contenenti 600 disegni di anatomia, geografia, cavalli, caricature e altro.

Esploso: disegno che mostra le varie parti di una macchina, disposte secondo la loro posizione.

Filettatura: solco ad andamento a elica inciso su una superficie cilindrica. Serve come metodo di fissaggio (per viti, bulloni o dadi) e per creare un accoppiamento che trasformi un moto rotatorio in un moto rettilineo (come nei sistemi vite-chiocchiola).

Ludovico Maria Sforza detto il Moro a causa della carnagione scura, fu duca di Milano e Leonardo lavorò alla sua corte per molti anni. Nacque nel 1452 e morì nel 1508.

Lunula: figura a forma di luna illuminata solo da un lato, sottile come una falce.

Manoscritto A: manoscritto di 63 fogli dedicato a pittura e fisica conservato a Parigi, all'Istituto di Francia.

Manoscritto B: manoscritto di 84 fogli dedicato a vari soggetti conservato a Parigi, all'Istituto di Francia.

Mantice: apparecchio che aspira ed espelle aria, usato per dare fiato a certi strumenti musicali.

Napoleone Bonaparte: si impose dal 1799 come imperatore dei francesi e governò su quasi tutta Europa.

Parabola: è un specie di arco nel quale ogni punto ha la stessa distanza da un punto esterno (fuoco) e da una retta (direttrice).

Poliedro: solido geometrico delimitato da un certo numero di facce piane poligonali. Sono poliedri il cubo, il parallelepipedo, la piramide e il prisma.

Prospettiva: rappresentazione di una figura in base al punto d'osservazione. Nell'arte è la tecnica per inserire l'illusione della profondità in un disegno o dipinto.

Puleggia: ruota, montata su un albero rotante, che trasmette moto tramite cinghie o catene.

Raganella: strumento formato da una ruota attorno alla quale è fissata una lamina che, strisciando sui denti della ruota, produce un suono.

Rinascimento: periodo della storia d'Europa, tra il 1450 e il 1550, in cui si ebbe una rinascita di letteratura, arte e scienza, dopo un lungo periodo di decadimento.

Sanguigna: argilla rossa usata per disegnare. Dà il nome anche ai disegni eseguiti con questo pastello.

Sezione aurea: rapporto (il cui valore è di 1,61803) che, usato per definire le proporzioni tra più parti (per esempio base e altezza), è in grado di dare sensazioni di gradevolezza e armonia.

Tempera: polvere mescolata con tuorlo d'uovo e acqua distillata. Viene usata per dipingere su cartoni compressi o tavole di legno stagionato.

Vasari Giorgio: nato nel 1511 e morto nel 1574, fu pittore, scultore, architetto e autore di trattati.

Vite di Archimede: macchina costituita da una grossa vite all'interno di un tubo, usata per sollevare un liquido, o un materiale sabbioso.

Vite senza fine: dispositivo funzionante tramite l'accoppiamento di una vite cilindrica e di una ruota dentata.

Archimedes' screw: apparatus consisting of a huge screw inside a tube that was used to lift liquids or sandy substances.

Bellows: device that sucks in and blows out air, used to pump air into certain musical instruments.

Biology: scientific study of life and living organisms.

Caccavella (friction drum): instrument made of a closed cylinder with a stick inside it; when the stick is moved it makes a rattling noise.

Codex Ashburnham: two manuscripts conserved at the Institut de France in Paris, that used to be part of manuscripts *A* and *B*.

Codex Atlanticus: the largest collection of Leonardo's manuscripts (1119 folios), mainly on machines. Housed at the Biblioteca Ambrosiana in Milan

Codex Hammer: 18 folios of studies on water power and astronomy. It is now in the USA and is owned by Bill Gates.

Codex Madrid: two manuscripts on engineering and designs for the Sforza monument. Housed in Madrid, Spain.

Codex on the Flight of Birds: 18 folios of studies on the flight of birds. Housed at the Biblioteca Reale in Turin.

Endless screw: device that operates by connecting a spiral screw to a toothed wheel.

Exploded view: illustration showing the various separate parts of a machine, arranged in their proper positions.

Golden section: the ratio (1.61803) used in art to define the proportions between different areas (for instance, base and height) that produces a pleasing, harmonious effect.

Ludovico Maria Sforza: known as "the Moor" because of his dark skin, was the Duke of Milan. Leonardo was employed at his court for many years. He was born in 1452 and died in 1508.

Lunette: shape like a half or sickle moon, illuminated on one side.

Manuscript A: manuscript of 63 folios on art and physics, housed at the Institut de France in Paris.

Manuscript B: manuscript of 84 folios on a variety of subjects, housed at the Institut de France in Paris.

Napoleon Bonaparte: crowned himself Emperor of France in 1799 and ruled almost the whole of Europe.

Parabola: type of curve in which every point is at the same distance from a given line (the directrix) and from a fixed point not on the line (the focus).

Perspective: representation of an object as seen at the point from which it is viewed. In art, it is the technique used to give the appearance of depth in a drawing or painting.

Polyhedron: geometric solid bounded by a number of polygonal planes. The cube, parallelepiped, pyramid and prism are all polyhedrons.

Pulley: wheel, mounted on a rotating shaft, that transmits motion by means of a belt or chain.

Raganella (rattle): instrument consisting of a wheel enclosed in a (metal) sheet that creates a noise as it rubs against the teeth of the wheel.

Renaissance: period in European history, between 1450 and 1550, when there was a widespread renewal of interest in literature, art and science after a long period of neglect.

Sanguine: red chalk used for drawing. Also gives its name to drawings made using this pastel color.

Tempera: powdered color mixed with egg yolk and distilled water. Used for painting on compressed board or seasoned wooden panels.

Thread: spiral groove cut into a cylindrical surface. Used to fix things together (in screws, bolts and nuts) and to make a connection that transforms rotary motion into linear motion (screw-nut).

Vasari, Giorgio: born 1511, died 1574. Artist, sculptor, architect and writer.

Windsor Codices: 234 folios housed in Windsor Castle (Great Britain) containing 600 drawings on anatomy, geography, horses and caricatures.

Invenzioni e inventori
Inventions and inventors

Anno a.C. Year B.C.	Invenzione o scoperta Invention or discovery	Inventori e dettagli Inventors and detalis
1.900.000 1,900,000	**Lance e asce** Lances and axes	l'Homo erectus inventa i primi utensili Homo erectus invents the first tools
1.000.000 1,000,000	**Fuoco** Fire	la prima testimonianza in una caverna di Swartkrans, in Sudafrica earliest proof, in a cave at Swartkrans, in South Africa
100.000 100,000	**Indumenti** Clothes	in Europa i primi raschiatoi per pelli, i primi aghi d'osso e di corno in Europe, first scrapers used on skins, first needles made of bone and horn
25.000 25,000	**Frecce** Arrows	in Spagna punte di frecce, in Polonia i primi boomerang in Spain, arrowheads; in Poland, the first boomerang
10.000 10,000	**Mezzi di trasporto** Means of transport	nel Mesolitico compaiono le prime zattere, barche e slitte in the Mesolithic era the first rafts, boats and sleds appear
8.000 8,000	**Vasellame** Pottery	primo vasellame d'argilla first clay pots
6.000 6,000	**Tessitura** Weaving	in Anatolia una forma primitiva; nel 3000 i primi coloranti; nel 2000 i primi telai in Anatolia, in primitive form; in 3000 the first dyes appear; in 2000 the first loom
4.000 4,000	**Metalli** Metals	si estrae il rame; nel 2500 lo stagno; nel 1500 il ferro; nel 1000 si ottiene l'acciaio copper extraction; in 2500 tin; in 1500 iron; in 1000 steel is made
3.500 3,500	**Ruota** Wheel	la testimonia una tavoletta in Mesopotamia. Nel 2000 in Egitto le ruote a raggi pictured on a tablet in Mesopotamia. In 2000 spoked wheels appear in Egypt
3.500 3,500	**Scrittura** Writing	in Mesopotamia le prime tavolette di creta incise in Mesopotamia, first inscribed clay tablets
3.200 3,200	**Vela** Sail	le prime rappresentazioni di vele first images of sails
3.100 3,100	**Numeri** Numbers	in Mesopotamia le prime rappresentazioni con simboli in Mesopotamia, first images using symbols
2.000 2,000	**Vetro** Glass	in Egitto. Nel 1500 contenitori. Nel 100 a.C. a Roma le prime finestre in Egypt. In 1500, vessels. In Rome in 100 B.C., the first windows
2.000 2,000	**Tubatura** Plumbing	a Creta, nel Palazzo di Minosse. A Ninive il primo acquedotto nel 700 a.C. in Crete, in the Palace of King Minos. In 700 B.C. in Nineveh, the first aqueduct
1.500 1,500	**Alfabeto** Alphabet	a Ugarit, in Siria, i primi 30 caratteri cuneiformi. Di 22 segni invece l'alfabeto fenicio at Ugarit in Syria, the first 30 cuneiform characters. The Phoenician alphabet had only 22 symbols
1500 1,300	**Meridiana** Sundial	in Egitto, 100 anni dopo le prime clessidre in Egypt, 100 years after the first hourglasses
500 500	**Abaco** Abacus	in Egitto in Egypt
370 370	**Puleggia** Pulley	Archinta di Taranto, scienziato della Magna Grecia Archintus of Taranto, a scientist in Magna Graecia
260 260	**Giunto** Mechanical joint	Filone di Bisanzio inventa il giunto per trasmettere il moto rotatorio Philo of Byzantium invents the mechanical joint to transmit rotary motion
250 250	**Vite senza fine** Endless screw	Archimede di Siracusa inventa la vite senza fine per pompare acqua Archimedes of Syracuse invents the endless screw for pumping water
220 220	**Orologio ad acqua** Water clock	Ctesibio, scienziato di Alessandria, perfeziona l'orologio ad acqua Ctesibios, a scientist in Alexandria, perfects the water clock
140 140	**Mappa dell'universo** Map of the universe	Ipparco di Nicea disegna la prima mappa con stelle e costellazioni Hipparchus of Nicaea draws the first map with stars and constellations
100 100	**Mulini ad acqua** Waterwheel	in Turchia in Turkey
100 100	**Cupola** Dome	gli architetti romani nel 27 a.C. iniziano il Pantheon In 27 B.C. Roman architects begin to build the Pantheon
55 55	**Calcestruzzo** Concrete	i romani nella realizzazione dell'anfiteatro di Pompei Romans building the amphitheatre at Pompeii

Anno d.C. Year A.D.	Invenzione o scoperta Invention or discovery	Inventori e dettagli Inventors and detalis
105 105	**Carta** Paper	Tsai Lun, scienziato cinese realizza il primo foglio. In Europa solo verso il 1150 d.C. Chinese scientist Cai Lun produces first sheet of paper. It appears in Europe in 1150 AD
644 644	**Mulino a vento** Windmill	in Persia, in Europa sono documentati nel 1105 in Persia; recorded in Europe in 1105
724 724	**Meccanismo a scappamento** Escape mechanism	il monaco cinese I-Xing e l'inventore Lyang Lingdzan by Chinese monk I Ching and the inventor Lyang Lingdzan
800 800	**Numeri arabi** Arabic numerals	il matematico Muhammad ibn Al-Kwarizmi. Vengono introdotti in Europa nel 1202 mathematician Muhammad ibn Musa al-Khwarizmi. Introduced into Europe in 1202
1000 1000	**Polvere da sparo** Gunpowder	compare in Cina. In Europa nel 1267 appears in China. In Europe in 1267
1044 1044	**Bussola** Compass	nel trattato *Wu ching tsung yao* del cinese Tseng Kung-Liang in *Wu ching tsung yao*, a book by the Chinese Tseng Kung-Liang
1088 1088	**Orologio meccanico** Mechanical clock	descritto dal tutore imperiale cinese Su Sung described by the Chinese Imperial tutor Su Sung
1100 1100	**Forchetta** Fork	in Toscana a due denti. Alla fine del XVIII secolo in Francia con 4 denti in Tuscany, with 2 prongs. With 4 prongs, at the end of the XVIII century in France
1120 1120	**Chiusa** Canal lock	viene costruita in Olanda. In Italia nel 1200 sul fiume Mincio built in Holland. In Italy in 1200 on the River Mincio
1190 1190	**Timone** Rudder	già diffuso in Cina, compare sulle navi vichinghe already widespread in China, appears on Viking ships
1283 1283	**Orologio a scappamento** Escapement clock	nel monastero inglese di Dunstable, senza quadrante né lancette In an English monastery at Dunstable, without hands or dial
1289 1289	**Occhiali** Spectacles	Salvino Armato degli Armati Salvino Armato degli Armati
1340 1340	**Altoforno** Blast furnace	a Liegi in Belgio at Liege in Belgium
1346 1346	**Arma da fuoco** Firearms	Bertold Schwarz, monaco tedesco. Nel 1378 in Germania il cannone German monk Berthold Schwarz. The cannon appears in Germany in 1378
1364 1364	**Orologio moderno** Modern clock	G. Dondi descrive il primo orologio con una sola lancetta per le ore. Nel 1577 lo svizzero Jost Burgi introduce quella dei minuti G. Dondi describes the first clock, it only has an hour hand. In 1577 the Swiss Joost Bürgi introduces the minute hand
1447 1447	**Stampa a caratteri mobili** Printing press	Johann Gutenberg stampa a Magonza la *Bibbia*. I cinesi nel 1041 avevano realizzato dei caratteri d'argilla Johann Gutenberg prints the *Bible* in Mainz. In 1041 the Chinese had produced movable clay type
1507 1507	**Mappa della Terra con l'America** Map of the world showing America	Martin Waldseemuller Martin Waldseemüller
1511 1511	**Orologio da tasca** Pocket watch	Peter Henlein, tedesco. Il primo orologio da polso nel 1790 Peter Henlein, Germany. First wristwatch invented in 1790
1589 1589	**Telaio meccanico** Knitting machine	William Lee, inglese William Lee, England
1590 1590	**Microscopio** Microscope	Zacharias Jansen Zacharias Janssen
1602 1602	**Termometro** Thermometer	l'istriano Santorio Santorio Sanctorius of Padua
1608 1608	**Telescopio** Telescope	Johannes Lippershey, ottico fiammingo Hans Lippershey, Dutch lens maker
1609 1609	**Giornale a stampa** Printed newspaper	in Sassonia. Nel 1702 in Gran Bretagna il primo quotidiano in Saxony. The first daily appeared in 1702, in Great Britain
1622 1622	**Regolo calcolatore** Slide rule	William Oughtred, matematico inglese William Oughtred, English mathematician
1642 1642	**Macchina addizionatrice** Adding machine	Blaise Pascal, filosofo francese Blaise Pascal, French philosopher

Anno d.C. Year A.D.	Invenzione o scoperta Invention or discovery	Inventori e dettagli Inventors and detalis
1644 1644	**Barometro** Barometer	Evangelista Torricelli Evangelista Torricelli
1656 1656	**Orologio a pendolo** Pendulum clock	Christiaan Huygens, scienziato olandese Christiaan Huygens, Dutch scientist
1675 1675	**Metro** Metre	Tito Livio Burattini propone il metro come unità universale di misura Tito Livio Burattini suggests the meter as a universal unit of measurement
1687 1687	**Lastre di vetro** Sheet glass	Bernard Perrot produce lastre di 4 mt, in precedenza non superavano 130 cm Bernard Perrot produces 4 meter sheets; previous sheets had not exceeded 130 cm
1698 1698	**Motore a vapore senza moto** Static steam engine	Thomas Savery Thomas Savery
1709 1709	**Pianoforte** Piano	Bartolomeo Cristofori, fabbricante di clavicembali Bartolomeo Cristofori, harpsichord maker
1712 1712	**Motore a vapore che genera moto** Moving steam engine	Thomas Newcomen Thomas Newcomen
1714 1714	**Macchina per scrivere** Typewriter	Henry Mill, meccanico inglese Henry Mill, English mechanic
1727 1727	**Occhiali con le stanghette** Spectacles with arms	Edward Scarlett, ottico inglese, prima venivano pinzati al naso Edward Scarlett, English optician; earlier eye-glasses were clipped on the nose
1741 1741	**Androide** Robot	Jacques de Vaucanson inventa un automa che suona un flauto Jacques de Vaucanson invents a robot that plays the flute
1769 1769	**Veicolo a motore** Motor vehicle	Nicolas-Joseph Cugnot Nicolas-Joseph Cugnot
1775 1775	**WC** Flushing toilet	Alexander Cummings Alexander Cummings
1778 1778	**Serratura moderna** Modern lock	Joseph Bramah, dotata di mappa scanalata Joseph Bramah: the safety lock
1783 1783	**Aerostato con equipaggio** Manned hot-air balloon	Jacques e Joseph Montgolfier Jacques and Joseph Montgolfier
1800 1800	**Rubinetto** Tap	Thomas Gryll Thomas Gryll
1800 1800	**Pila** Battery	Alessandro Volta Alexander Volta
1825 1825	**Treno commerciale** Railway train	Locomotiva e tratta progettate da George Stephenson Locomotive and track designed by George Stephenson
1827 1827	**Fiammiferi** Matches	Vengono venduti in Gran Bretagna, inventati da Walker Friction matches invented by John Walker on sale in Britain
1831 1831	**Motore elettrico** Electric motor	Joseph Henry Joseph Henry
1835 1835	**Revolver** Revolver	Samuel Colt Samuel Colt
1839 1839	**Fotografia** Photograph	il francese Louis Jacques Daguerre; nel 1888, l'americano George Eastman produce la prima macchina Kodak che utilizza una pellicola; nel 1935 la pellicola a colori Frenchman Louis Jacques Daguerre; in 1888 the American George Eastman produces the first Kodak camera to use a film; in 1935 arrives the color film
1844 1844	**Telegrafo** Telegraph	Samuel Morse Samuel Morse
1846 1846	**Rotativa per la stampa** Rotary printing press	Richard Hoe Richard Hoe
1851 1851	**Serratura a chiave dentellata** Pin tumbler lock	Linus Yale Linus Yale
1851 1851	**Macchina da cucire** Sewing machine	Isaac Merritt Singer Isaac Merritt Singer
1853 1853	**Motore a scoppio** Combustion engine	Barsanti e Matteucci Barsanti and Matteucci

| Anno d.C. | Invenzione o scoperta | Inventori e dettagli |
Year A.D.	Invention or discovery	Inventors and detalis
1854	**Telefono**	il fiorentino Antonio Meucci espatriato negli USA
1854	Telephone	Florentine Antonio Meucci, living in the USA
1862	**Mitragliatrice**	Richard Gatling
1862	Machine gun	Richard Gatling
1878	**Lampadina**	Thomas Edison
1878	Light bulb	Thomas Edison
1895	**Cinema**	Auguste e Louis Lumière
1895	Cinema	Auguste and Louis Lumière
1901	**Radio**	Guglielmo Marconi
1901	Radio	Guglielmo Marconi
1903	**Aeroplano a motore**	Gli statunitensi Wilbur e Orville Wright
1903	Powered airplane	Americans Wilbur and Orville Wright
1909	**Plastica**	Leo Hendrik Baekeland inventa la bachelite
1909	Plastic	Leo Hendrik Baekeland invents *Bakelite*
1927	**Gomma sintetica**	la prima sostanza sintetica tratta dal petrolio
1927	Synthetic rubber	the first synthetic material derived from petroleum
1929	**Tubo a raggi catodici**	il russo Vladimir Zworykin negli USA. Nel 1933 in Germania il primo programma televisivo; il primo servizio di trasmissioni in Inghilterra nel 1936
1929	Cathode ray tube	Russian Vladimir Zworykin, in the USA. In 1933, in Germany, the first television programme; first regular TV broadcast service in England, 1936
1936	**Elaboratore dati elettromeccanico**	il tedesco Konrad Zuse
1936	Data processor	German engineer Konrad Zuse
1939	**Fissione nucleare**	Enrico Fermi
1939	Nuclear fission	Enrico Fermi
1939	**Elicottero**	Igor Sikorsky; i primi tentativi risalgono alla fine del 1700
1939	Helicopter	Igor Sikorsky; previous attempts had been made as early as the 17th century
1945	**Bomba atomica**	negli USA sotto la guida di Robert. J. Oppenheimer
1945	Atomic bomb	in the USA, led by J. Robert Oppenheimer
1947	**Transistor**	J. Bardeen, W. Houser Brattain e W. Bradford Shockley
1947	Transistor	J. Bardeen, W. Houser Brattain and W. Bradford Shockley
1957	**Mezzo spaziale**	lo *Sputnik 1* dell'ex Unione Sovietica, grazie a Sergei P. Korolev
1957	Spacecraft	in the former Soviet Union, *Sputnik 1*, thanks to Sergei P. Korolev
1958	**Chip**	Jack St. Clair Kilby della Texas Instruments
1958	Microchip	Jack St. Clair Kilby of Texas Instruments
1958	**Laser**	Charles Townes, Gordon Gould e Arthur Schawlow
1958	Laser	Charles Townes, Gordon Gould and Arthur Schawlow
1971	**Microprocessore**	F. Faggin, M. Edward Hoff Jr. e S. Mazor della Intel
1971	Microprocessor	F. Faggin, M. Edward Hoff Jr. and S. Mazor of Intel
1971	**E-mail**	Ray Tomlinson usa la @ per separare destinatario e server nella rete *Arpanet*, il progenitore di Internet creato negli USA a scopo militare nel 1969
1971	E-mail	Ray Tomlinson uses @ to separate addressee and server on the *Arpanet* network, the forerunner of Internet used in the USA for military purposes in 1969
1973	**Telefono cellulare**	Martin Cooper, per conto della Motorola
1973	Mobile phone	Martin Cooper, for Motorola
1976	**Personal computer**	l'*Apple I* di Stephen Wozniac e Steve Jobs
1976	Personal computer	*Apple* I by Stephen Wozniac and Steve Jobs
1980	**Computer domestico**	l'inglese Clive Sinclair produce lo *ZX-80*
1980	Home computer	in England, Clive Sinclair produces the *ZX-80*
1982	**Protocollo IP per Internet**	Vinton Cerf e Robert E. Kahn; nel 1991 Tim Berners-Lee del Cern di Ginevra inventa l'HTTP, ovvero il World Wide Web
1982	Internet Protocol	Vinton Cerf and Robert E. Kahn; in 1991 Tim Berners-Lee of CERN in Geneva, invents http, in other words the World Wide Web
1991	**Fotocamera digitale**	sviluppata dalla Kodak con un sensore da 1,3 megapixel
1991	Digital camera	developed by Kodak with a 1.3 mega pixel sensor

Finito di stampare in Italia nel mese di
Printed in Italy in

Aprile 2010
April 2010